It's another Quality Book from CGP

This book is for anyone doing GCSE German at Higher Level.

It contains lots of tricky questions designed to make you sweat — because that's the only way you'll get any better.

It's also got some daft bits in to try and make the whole experience at least vaguely entertaining for you.

What CGP is all about

Our sole aim here at CGP is to produce the highest quality books — carefully written, immaculately presented and dangerously close to being funny.

Then we work our socks off to get them out to you — at the cheapest possible prices.

Contents

Section 1 — General Stuff

Section 2 — Lifestyle

Section 3 — Leisure

Section 4 — Holidays

Section 5 — Home and Environment

Section 6 — Education and Work

Section 7 — Grammar

Published by CGP

Editors:
Paul Jordin
Hayley Thompson
Emma Warhurst

Contributors:
Diana Berry
Lisa Crosswood
Peter Tyson
Katharine Wright

Herr van Beethoven's wardrobe supplied by Every Good Boy Deserves Fashion Ltd.

ISBN: 978 1 84762 295 2

With thanks to Esther Bond, Polly Cotterill, Janice Eadington and Glenn Rogers for the proofreading.

Groovy website: www.cgpbooks.co.uk
Jolly bits of clipart from CorelDRAW®
Printed by Elanders Ltd, Newcastle upon Tyne.

Based on the classic CGP style created by Richard Parsons.

Numbers and Amounts

Q1 Write these numbers out as figures.

a) acht
b) zwölf
c) neunundzwanzig
d) dreihundertvierundfünfzig
e) siebenhundertsechs
f) achthundertachtundneunzig
g) tausendvierhundertsiebzig
h) elftausendneunundneunzig

Q2 Write out these numbers as words (in German).

a) 1
b) 9
c) 17
d) 27
e) 36
f) 98
g) 104
h) 432
i) 502
j) 1450
k) 7607
l) 1 000 000

Q3 Replace the numbers in brackets with the German word.

*e.g. **Nehmen Sie die (2nd) Straße links.** → **Nehmen Sie die zweite Straße links.***

a) Nehmen Sie die (**3rd**) Straße rechts.
b) Gehen Sie über die (**1st**) Kreuzung.
c) Meine (**4th**) Stunde ist Kunst.
d) Sie ist meine (**20th**) Fahrprüfung.
e) Der (**5th**) Film war am besten.
f) Es ist das (**7th**) Haus auf der linken Seite.

Take the 2nd street on the left. Then the 1st right...

Q4 Some sentences are given below with their German translations. What are the missing German words?

a) I have no friends.
Ich habe .... Freunde.

b) I have lots of pets.
Ich habe .... Haustiere.

c) I go jogging every day.
.... Tag gehe ich joggen.

d) We have several cars.
Wir haben .... Autos.

e) I have some bananas.
Ich habe .... Bananen.

f) I know lots about that.
Ich weiß .... darüber.

g) I know nothing about table tennis.
Ich weiß .... über Tischtennis.

h) I was on holiday for one and a half weeks.
Ich war .... Wochen im Urlaub.

Times and Dates

Q1 Write out the time in for each clock in German.
Give the time in full in the way the English description does.

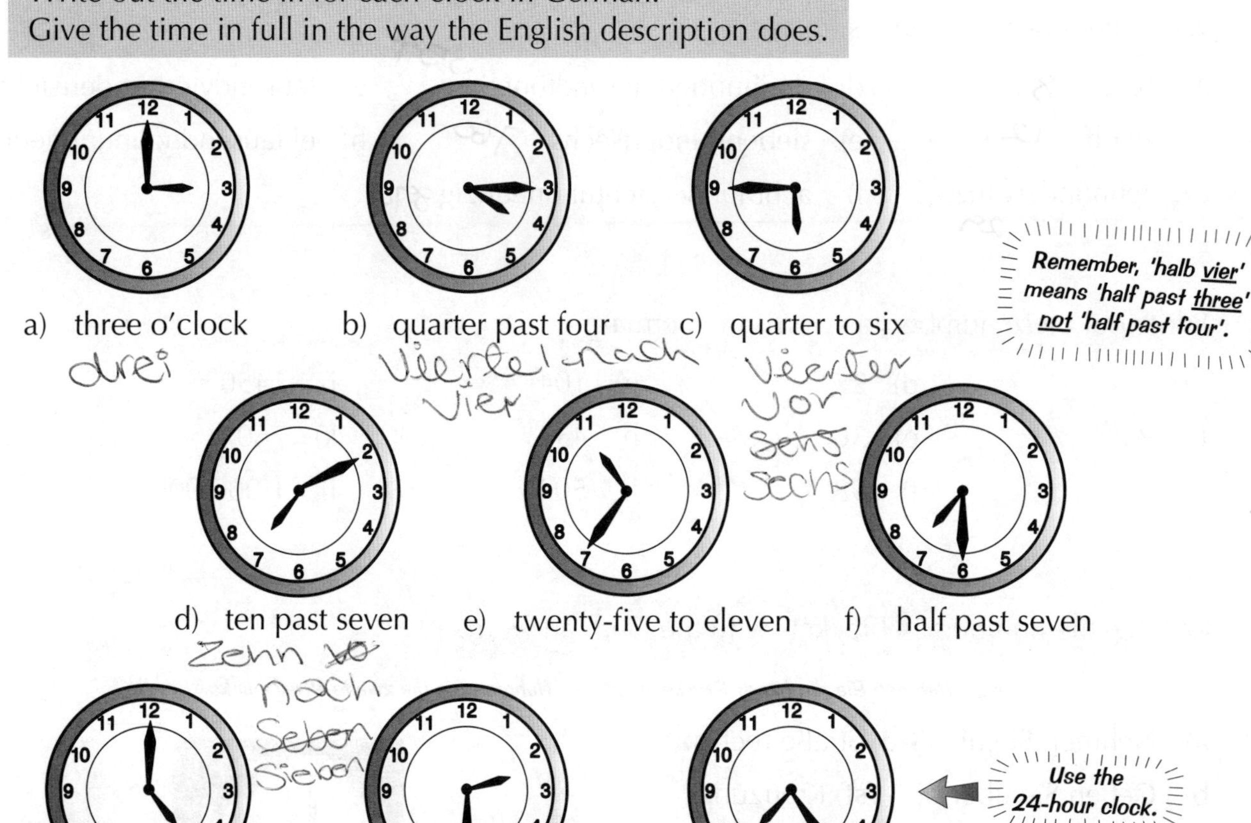

g) 17:00 h) 14:30 i) 19:25

Q2 Translate these sentences into German. Write out all the dates in full.

a) Tuesday, the 29th of May.
b) Saturday, the 15th of March.
c) Friday, the 13th of September.
d) My birthday is in spring.
e) School starts in autumn.
f) We're going away in summer.
g) Winter begins on the 21st of December.
h) Today is the 6th of November

Q3 What are the missing words in the English translations of these sentences?

a) Ich gehe heute in die Schule.
I am going to school ....

b) Am Wochenende spiele ich Fußball.
At the .... I play football.

c) Übermorgen fahre ich weg.
.... I'm going away.

d) Gestern habe ich Hans gesehen.
.... I saw Hans.

e) Ich war letzte Woche in London.
Last .... I was in London.

f) Mittwochs gehe ich ins Kino.
.... I go to the cinema.

Times and Dates

Q1 This is Suzanne's calendar for October. Decide whether each of the sentences below is true (T) or false (F). If it's false, write the correct sentence.

Oktober

SONNTAG	MONTAG	DIENSTAG	MITTWOCH	DONNERSTAG	FREITAG	SAMSTAG
		1	2 *18.30 am Hallenbad in der Stadtmitte*	3	4 *Hausaufgabe, Geschichte. Schrecklich!*	5 *12.00 Mittagessen mit Felix im Restaurant*
6 *14.00 Tennis mit Corinna im Jugendzentrum*	7	8 *20.00 im Schlosskino, 'Realschule Musical 27'*	9	10 *10.15 beim Zahnarzt*	11	12 *20.30 in der LAVA-Disco*
13 *Karls Geburtstag*	14 *21:00 Rockkonzert im Sportzentrum*	15	16 *im Schachklub*	17	18 *Einkaufen mit Mutti*	19
20 *Besuch beim Opa*	21	22 *9.30 Schulausflug in die neue Kunstgalerie*	23 *16.45 Kegeln und Pizza mit Brigitte*	24	25 *14.00 Fußballspiel im Stadion*	26
27 *14.00 Wandern mit Sascha und Marie*	28	29 *Prüfungen (Mathe und Physik)*	30 *15.30 Tierarzt mit Rolli*	31		

a) Suzanne besucht den Zahnarzt um Viertel vor zehn.

b) Sie geht am vierzehnten Oktober ins Konzert.

c) Sie besucht ihren Großvater am zwanzigsten Oktober.

d) Sie geht am achten Oktober einkaufen.

e) Sie hat einen Schulausflug am zweiundzwanzigsten Oktober um halb neun.

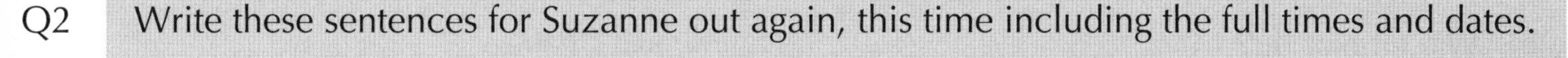

Q2 Write these sentences for Suzanne out again, this time including the full times and dates.

e.g. Ich spiele Tennis um vierzehn Uhr am sechsten Oktober.

a) Ich gehe ins Restaurant mit Felix um .... am ....

b) Am .... um .... gehe ich kegeln.

c) Meine Prüfungen sind am ....

d) Das Fußballspiel ist um .... am ....

Q3 When would Suzanne say the following sentences? Give the date in full in English.

a) Heute Abend gehe ich in die Disco.

b) Morgen früh habe ich einen Schulausflug.

c) Vorgestern war es Karls Geburtstag.

Asking Questions and Being Polite

Q1 Write out the German questions again using the words in the box below to fill in the blanks. I've given you the English translations to help you out... Honestly, don't mention it.

a) .... kommen Sie?
Where do you come from?

b) .... alt bist du?
How old are you?

c) .... wohnen Sie?
Where do you live?

d) .... wohnt bei dir?
Who lives with you?

e) .... weinen Sie?
Why are you crying?

f) .... beginnt der Film?
When does the film start?

g) .... spielst du?
What are you playing with?

h) .... Äpfel kaufen Sie?
How many apples are you buying?

i) .... gehst du am Samstag?
Where are you going to on Saturday?

j) .... sprichst du?
What are you talking about?

wie	wann	woher	worüber	wohin	womit	wer	wo	warum	wie viele

Q2 Change the word order to turn these sentences into questions.

a) Du hast einen Bruder.
b) Sie heißt Stephanie.
c) Sie wohnen in Berlin.
d) Wir gehen in die Stadt.
e) Ich kann ins Kino mitkommen.
f) Ich darf das Salz haben.
g) Wir dürfen Alex besuchen.
h) Paula kann ins Freibad gehen.

Q3 Match up the question with the right answer.

a) Wie heißt du?
b) Wie alt bist du?
c) Woher kommst du?
d) Wo wohnst du?
e) Was machst du gern?
f) Wohin fährst du auf Urlaub?
g) Warum fährst du da auf Urlaub?
h) Womit fährst du?

1) Ich komme aus Schottland.
2) Ich fahre nach Spanien.
3) Ich mag Schwimmen, Lesen und Kochen.
4) Ich fahre mit dem Flugzeug.
5) Ich bin vierzehn Jahre alt.
6) Ich wohne in Newcastle.
7) Ich heiße Stefan.
8) Es ist sehr sonnig und ziemlich billig.

Asking Questions and Being Polite

Q1 You want to ask the following people in German, "How are you?". What would you say for each one?

a) Your little brother Nigel.

b) The Queen.

c) Your friends Leonie, Marie and Gabriele — who are impossible to tell apart, making it much easier to ask all of them at the same time.

Q2 Write an answer in German to match each face.

"Guten Morgen! Wie geht's?"

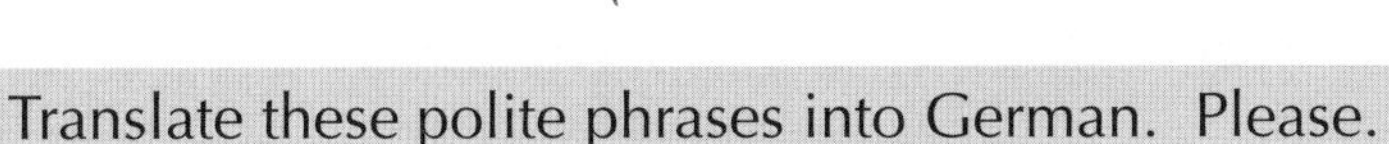

a) (great)

b) (OK)

c) (bad)

Q3 Translate these polite phrases into German. Please.

a) I'm pleased to meet you (informal).

b) You're welcome.

c) It was nothing.

d) I'm sorry.

e) Thank you.

f) Excuse me!

g) I'm fine thanks.

h) Good evening.

i) That's very nice of you (formal).

j) May I introduce Anna?

Q4 Write out these sentences again using the words in the box to fill in the blanks.

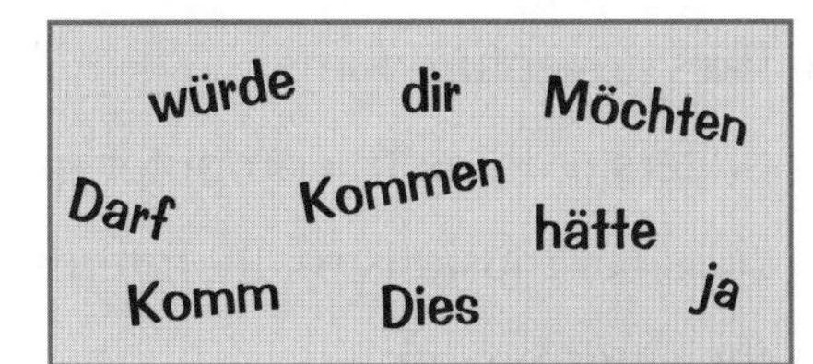

a) Ich .... gern die Milch.

b) Ich .... gern Blumenstecken lernen.

c) .... Sie ein Eis?

d) .... ich bitte die Butter haben?

e) .... ist Paula.

f) .... Sie herein.

g) .... herein. Setz dich.

h) Es ging gut, ... ?

i) Das ist sehr nett von ....

So, this bungee jump... es ging gut, ja?

Opinions

Q1 Say whether each of these opinions is positive, negative or neutral.

a) Ich finde diese Fernsehsendung klasse.
b) Meine Musiklehrerin ist hässlich.
c) Ich finde Angeln furchtbar.
d) Badminton? Es ist mir egal.
e) Joggen gefällt mir.
f) Ich halte Fußball für mies.
g) Ich mag Tanzen nicht.
h) Meiner Meinung nach ist er sympathisch.

Q2 Your class has received e-mails from your exchange partners saying what they like to do at the weekend. Which of the statements below are true and which are false?

Guten Tag!

Ich gehe gern wandern, denn ich wohne auf dem Land. Angeln finde ich schrecklich, weil ich Tiere liebe. Am Abend gehe ich nicht gern in die Stadt. Ich bleibe lieber zu Hause.

Marianne

Am Wochenende gehe ich gern ins Kino. Ich finde Abenteuerfilme toll, aber ich finde Liebesfilme schlecht. Lesen gefällt mir nicht. Ich interessiere mich lieber für Computerspiele.

Tschüs, Wolfgang

Grüße!

Wir gehen jeden Samstagabend in ein klassisches Konzert — wie LANGWEILIG! Ich höre lieber Rockmusik und spiele gern Schlagzeug. Meine Schwester spielt Klavier, aber das gefällt mir nicht. Ich denke, dass ich wunderschön singe!

Ali

a) Marianne would rather go into town than stay at home.
b) Marianne thinks fishing is terrible.
c) Wolfgang likes adventure films.
d) Wolfgang prefers reading to computer games.
e) Ali thinks classical music is really interesting.
f) Ali thinks she sings beautifully.

Q3 Write your own e-mail (in German), saying what you do and don't like to do at the weekend. It only needs to be a few lines long.

What you do at the weekends is entirely up to you.

Opinions

Q1 Write out these sentences again with the correct word order.

a) nett finde Tina Ich ziemlich
b) spiele Tennis mit Ich Schwester meiner gern
c) Schach für interessiere Ich mich
d) Ich interessant halte für sie wirklich
e) mir Kegeln nicht gefällt
f) Meinung ist nach Meiner fabelhaft er

Q2 Write out these sentences again using 'weil' to link them together.

e.g. Ich mag Sport nicht. Es ist langweilig. → ***Ich mag Sport nicht, weil es langweilig ist.***

a) Schwimmen gefällt mir. Es macht Spaß.
b) Ich mag Schmetterlinge. Sie sind wunderschön.
c) Ich finde ihn unsympathisch. Er scheint sehr unhöflich.
d) Ich halte diese Band für ausgezeichnet. Der Sänger ist so gut.
e) Das Buch interessiert mich nicht. Es ist ziemlich langweilig und zu lang.

Q3 Match up the statements on the left with the reasons on the right.

a) Ich mag diese Band nicht,
b) Ich spiele wöchentlich Schach,
c) Ich finde italienische Restaurants fantastisch,
d) Der neue Film gefällt mir,
e) Sport gefällt mir nicht,
f) Ich finde meine Schule fürchterlich,
g) Ich finde Mathe toll,
h) Ich gehe jeden Tag in den Tennisklub,

1) weil ich sehr sportlich bin.
2) weil die Lehrerin so freundlich ist.
3) weil ich Komödien liebe.
4) weil die Uniform mies ist.
5) weil ich Mitglied eines Klubs bin.
6) weil sie zu laut ist.
7) weil ich nicht gern laufe.
8) weil ich Nudeln gern esse.

Q4 Write two sentences about things you like and two sentences about things you don't like, all with reasons. In German please...

Ich mag Deutsch sprechen, aber ich finde Schreiben ein bisschen schwer...

Informal Letters

Q1 Read these two letters and answer the questions below in English.

München, den 15. Februar

Hallo!

Wie geht's? Mein Name ist Marc. Ich bin sechzehn und wohne in der Nähe von München in Süddeutschland. Am meisten interessiere ich mich für Sport und Autos. Ich spiele für die Schulfußballmannschaft. Mein Vater ist sehr alt (sechsundvierzig) und arbeitet in der Stadtbibliothek. Meine Mutter ist Hausfrau. Ich studiere Englisch und Italienisch in der Schule. Nächsten Juni möchte ich England besuchen.

Bis bald, dein Marc

Bremen, den 9. April

Hallo!

Kann ich deine Brieffreundin werden? Ich heiße Mona und ich wohne mit meiner Familie in Norddeutschland. Immer trage ich schwarze Kleider und schwarze Schminke. In meinem Schlafzimmer habe ich schwarze Wände und einen schwarzen Teppich. Mein Geburtstag ist am 31. Oktober. Ich habe zwei Haustiere: eine Spinne und eine schwarze Katze, die Morticia heißt. Im August fahren wir nach Rumänien, um die Schlösser zu besichtigen. Mein Vater arbeitet als Kunstlehrer und meine Mutter ist Architektin.

Tschüs, deine Mona

a) Who says they are sixteen?
b) Who says they play for a school team?
c) Who says they have two pets?
d) Where does Marc's dad work?
e) What does Mona's mum do?
f) When is Mona going on holiday?
g) What's Mona going to do on holiday?
h) How old is Marc's dad?

Q2 Here are some more questions about the two letters. This time, answer in German and in full sentences.

a) Wo wohnt Marc?
b) Wofür interessiert sich Marc?
c) Was will Marc nächsten Sommer machen?
d) Welche Sprachen studiert Marc?
e) Was für Haustiere hat Mona?
f) Wann hat Mona Geburtstag?
g) Mit wem wohnt Mona?
h) Was für einen Job hat ihr Vater?

Q3 Write a reply to either Marc or Mona (in German). You should:

- Set your letter out like the ones above.
- Start your letter 'Dear...'
- Ask Marc/Mona how they are.
- Thank them for their letter.
- Tell them a bit about yourself (name, age, hobbies etc.).
- Tell them 'I hope to hear from you again soon'.
- Choose a different way of ending your letter from either Marc or Mona.

Marc was starting to seriously regret this pen pal thing.

Formal Letters

Q1 Read the letter, then say whether the statements below are T (true), F (false) or ? (no information). Rewrite the statements which are false.

Thomas Smith
1 New Street
Broughton
BF1 2LA
Großbritannien

Broughton, den 27. 4. 09

Hotel Groß
Großstraße 101
10101 Nürnberg
Deutschland

Sehr geehrter Herr Braun,
wir möchten Nürnberg im Juli besuchen. Können wir zwei Zimmer für vierzehn Nächte (vom 6. Juli) bei Ihnen reservieren? Wir brauchen ein Doppelzimmer mit Badezimmer für uns und ein Zweibettzimmer für die Kinder. Wir möchten zwei Zimmer nebeneinander.

Letzten Oktober haben wir eine Woche in Ihrem Hotel verbracht. Alles war prima, aber das Schwimmbad im Untergeschoss war geschlossen. Ist das Schwimmbad jetzt wieder offen? Können Sie uns auch bitte einige Broschüren über die Stadt schicken? Was kosten die Zimmer und gibt es einen Fernsehapparat in beiden Zimmern?

Mit freundlichen Grüßen,
T. Smith

a) Thomas Smith möchte Nürnberg im Frühling besuchen.
b) Er will drei Wochen bleiben.
c) Er fährt mit seiner Familie.
d) Er will ein Doppelzimmer und zwei Einzelzimmer reservieren.
e) Die Zimmer sollen nebeneinander sein.
f) Er hat das Hotel letzten Sommer besucht.
g) Das Hallenbad war zu kalt.
h) Der letzte Besuch war mies.
i) Das Schwimmbad liegt im Erdgeschoss.
j) Thomas Smith möchte einige Prospekte über Nürnberg.

When writing a formal letter, you must be properly equipped.

Q2 Pretend you're Thomas Smith. Write a formal letter complaining about the hotel (80 – 120 words). You should mention that:

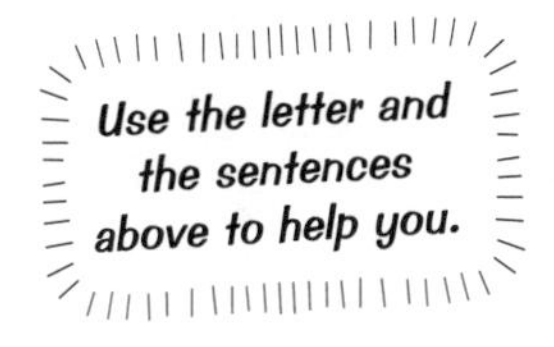

Use the letter and
the sentences
above to help you.

- You'd like to make a complaint about the hotel.
- Your room and the children's room weren't next to each other.
- You had problems with the food in the restaurant (give an example).
- The swimming pool was dirty.
- The television was broken.

You should also sign off your letter with the phrase 'yours sincerely...'

Food

Q1 You and your German pen friend have eaten all the food in your friend's house, so his mum sends you shopping. Translate the shopping list into English so you buy the right stuff.

a) Kekse
b) Himbeermarmelade
c) Bananen
d) Milch
e) Butter
f) Kartoffeln
g) Zwiebeln
h) Apfelsinen
i) Mineralwasser
j) Karotten
k) Käse

l) Reis
m) Nudeln
n) Erbsen
o) Kaffee
p) Schokolade
q) Schweinefleisch
r) Blumenkohl
s) Brötchen
t) Kopfsalat
u) Champignons
v) Pfeffer

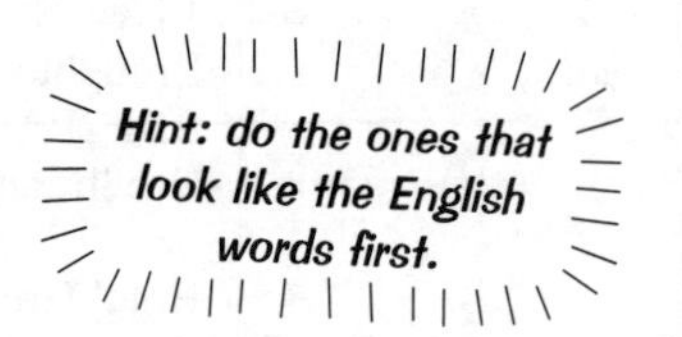

Hint: do the ones that look like the English words first.

Q2 You decide to buy some other things too. Put this list in German so you know what you're looking for.

eggs, muesli, apple juice, cakes, yoghurt, sausages, peaches, pears, apples, crisps

Q3 Your exchange family takes you out for a farewell meal. Read the menu then answer the questions in English.

a) What's the soup and what comes with it?
b) What would you get if you ordered 'Aufschnitt'?
c) What's the sausage in curry sauce served with?
d) What's served with the roast chicken?
e) What are the ingredients of 'Thunfischsalat'?
f) What are the four flavours of ice cream?
g) What drinks are available?

Speisekarte

Vorspeisen und Suppen
Tomatensuppe mit Weißbrot
Aufschnitt (Schinken, Salami, Wurst, Emmentaler Käse)

Hauptgerichte
Schnitzel mit Bratkartoffeln und Erbsen
Currywurst mit Spätzlen
Brathähnchen mit Sauerkraut
Thunfischsalat (Kopfsalat, Tomaten, Gurken, Paprika, Zwiebeln, Thunfisch)

Nachtische
Eis (Schokolade, Himbeer, Erdbeer, Zitrone)
Apfelkuchen mit Sahne
Himbeertorte

Getränke
Bier
Weißwein
Rotwein
Orangensaft
Apfelsaft

Mealtimes

Q1 Match these phrases to the English.

a) Ich mag keinen Tee.
b) Hast du Hunger?
c) Kann ich Ihnen die Butter reichen?
d) Darf ich bitte den Zucker haben?
e) Das Abendessen war sehr gut, danke.

1) Are you hungry?
2) The evening meal was very good, thanks.
3) Can I pass you the butter?
4) I don't like tea.
5) May I have the sugar, please?

Q2 What might you say to your German host family if...?

Hint: try adapting some of the phrases from Q1.

a) You were really thirsty.
b) You'd been offered your favourite gateau.
c) You had really enjoyed your meal.
d) You had eaten too much and were offered seconds.
e) You had just dribbled tomato sauce down your chin and wanted to wipe it off.

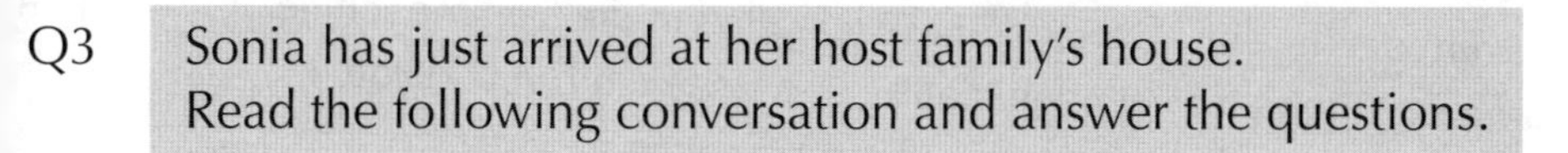

Q3 Sonia has just arrived at her host family's house.
Read the following conversation and answer the questions.

Herr W:	So, Sonia, hast du Hunger?
Sonia:	**Ja, Herr Winkelmann, ich bin hungrig und auch ein bisschen durstig.**
Herr W:	Magst du Kaffee oder Tee?
Sonia:	**Ich mag keinen Kaffee oder Tee. Darf ich bitte Mineralwasser haben?**
Herr W:	Ja, gerne. Möchtest du ein Stück Apfelkuchen mit Sahne?
Sonia:	**Ja, bitte, aber ich möchte nur ein kleines Stück und ich mag keine Sahne.**
Herr W:	Möchtest du sonst noch etwas?
Sonia:	**Nein, danke. Ich bin satt.**
Herr W:	Wir essen heute abend Schnitzel mit Karotten, Blumenkohl und Nudeln.
Sonia:	**Es tut mir Leid, aber ich mag kein Fleisch.**
Herr W:	Ach so, bist du Veganerin?
Sonia:	**Nein, Herr Winkelmann, ich bin Vegetarierin!**

a) How does Sonia feel?
b) What would she like to drink? Why?
c) What does Herr W offer her to eat?
d) What exactly does she have?
e) Does Sonia have anything else to eat?
f) Why does Sonia have a problem with the evening meal?

Daily Routine

Q1 Read the texts and answer the questions which follow.

Hallo! Ich bin Anja! Zu Hause essen wir zusammen um halb sieben zu Abend. Zu Mittag essen mein Bruder und ich in der Schule, aber unsere Eltern essen in der Stadt, wo sie arbeiten. Mein Bruder und ich müssen auch zu Hause helfen. Ich räume mein Schlafzimmer auf und muss jeden Tag mein Bett machen. Wir beiden müssen abwaschen oder die Spülmaschine leeren.

a) What meal does Anja have at 6.30?
b) Where does she have her lunch? Where do her parents have lunch?
c) What does she do to help at home?
d) What do she and her brother do to help?

Guten Tag! Ich heiße Bernd. Zu Hause muss ich jede Woche im Wohnzimmer, im Esszimmer und in meinem Schlafzimmer Staub saugen. Das finde ich fürchterlich, weil ich so viele Hausaufgaben habe und ich gar keine Zeit für mich habe. Ich esse das Frühstück um Viertel vor sieben morgens und zu Abend essen wir um sechs Uhr. Danach stelle ich alles in die Spülmaschine. Zu Mittag komme ich um halb zwei nach Hause und esse ein Butterbrot.

e) What does Bernd do to help at home every week?
f) How does he feel about it and why?
g) What does he do after the evening meal?
h) When does he have lunch?

Q2 You're staying with your exchange partner. How would you say the following in German?

a) Do you have (informal) some soap?
b) May I have a shower?
c) May I have a bath?
d) Do you have (formal) a towel?
e) Can I have some toothpaste please?
f) When do you (formal) eat breakfast?
g) At home we eat in the evenings at 5 o'clock.

Q3 Write two sentences (in German) about what you do to help at home.

About Yourself

Q1 **Translate these sentences into English.**

a) Ich bin groß.

b) Ich bin klein.

c) Er ist ziemlich dick.

d) Sie ist relativ schlank.

e) Ich habe kurze, lockige, blonde Haare.

f) Sie hat lange, glatte, dunkle Haare.

g) Er hat braune Augen und trägt eine Brille.

h) Er hat einen Bart.

Q2 **Translate these sentences into German.**

a) I am fairly short and slim and have long, red hair and green eyes.

b) I am medium height with shoulder-length brown hair and blue eyes. I wear glasses.

c) He is very tall and has short, black hair, brown eyes and a long, curly moustache.

d) She is short and has long, wavy hair. She has grey eyes.

Q3 **Read the following passage and answer the questions in English.**

> Hallo. Ich heiße Jack und ich bin fünfzehn Jahre alt. Ich habe am einundzwanzigsten September Geburtstag und ich wohne mit meiner Mutter und meinem Vater auf dem Land in der Nähe von Birmingham. Ich mag Tennis, weil das Spaß macht. Trance-Musik gefällt mir auch, weil das entspannend ist. Ich habe ziemlich lange, wellige Haare und große, braune Augen. Ich bin nicht so schlank, aber ich bin sehr groß.

a) When is Jack's birthday?

b) Where does he live?

c) What two things does he say he likes? Why?

d) Describe Jack's appearance.

Q4 **Answer the following questions in German.**

a) Wie heißt du?

b) Kannst du das buchstabieren?

c) Wie alt bist du?

d) Wann hast du Geburtstag?

e) Wie siehst du aus?

f) Wo wohnst du?

g) Was magst du?

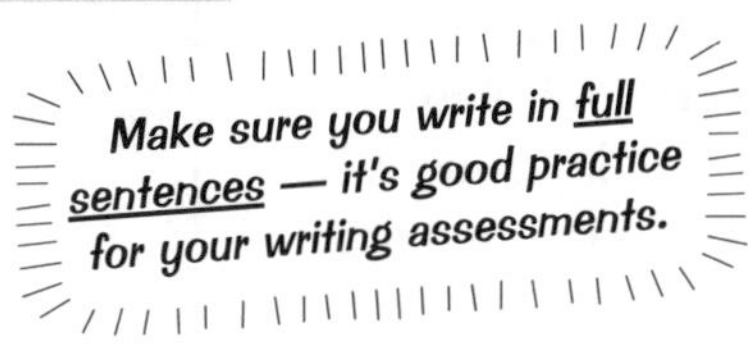

Make sure you write in full sentences — it's good practice for your writing assessments.

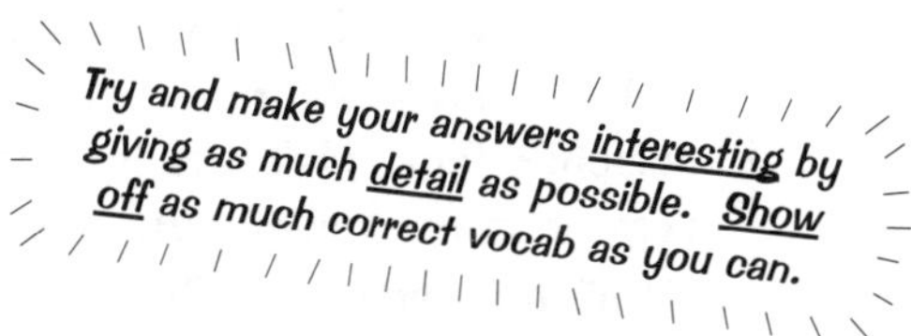

Try and make your answers interesting by giving as much detail as possible. Show off as much correct vocab as you can.

Family, Personality and Relationships

Q1 Who are these family members in English?

a) meine Eltern
b) mein Bruder
c) meine Cousine
d) meine Stiefmutter
e) meine Tante
f) meine Schwester
g) mein Großvater
h) mein Onkel
i) mein Halbbruder
j) meine Mutter

Q2 Give the names of these animals in German.

a) cat
b) dog
c) guinea pig
d) snake
e) horse
f) goldfish
g) budgie
h) rabbit
i) mouse

Q3 Translate these sentences into German.

a) My aunt is helpful.
b) My dog is lazy.
c) My brother is friendly.
d) My budgie is noisy.
e) My cat is very impolite.
f) My friend (female) is quite funny.
g) My stepfather is normally busy, but is always patient.
h) My horse is quite moody, but is often very sweet.
i) My sister is really intelligent, but she can be a bit shy.

Q4 Read the text below then answer the questions on the right.

Hallo! Mein Name ist Boris. Zu Hause gibt es meine Mutter, meinen jüngeren Bruder und mich. Meine Eltern sind seit vier Jahren geschieden. Mein Vater wohnt ganz in der Nähe, also sehen wir uns jedes Wochenende. Das finde ich OK, weil ich gut mit ihm auskomme, vielleicht besser, da er nicht bei uns wohnt. Er ist lustig und sehr geduldig. Ich streite ab und zu mit meiner Mutter, wenn ich schlechte Noten bekomme. Sie ist wirklich fleißig und findet mich manchmal ein bisschen faul. Mein Bruder und ich verstehen uns relativ gut, obwohl ich ihn für ziemlich ärgerlich von Zeit zu Zeit halte.

a) Why does Boris see his dad at the weekend?
b) How does he get on with his dad?
c) Why does he think this is?
d) Describe his parents' personalities.
e) How does Boris get on with his mum?
f) Why does he say this is?
g) How does Boris get on with his brother?

Family, Personality and Relationships

Q1 Read the passages below and answer the questions in English.

> In der Zukunft möchte ich vielleicht heiraten, aber im Moment weiß ich nicht genau. Ich möchte bestimmt in einem Verhältnis sein, aber eine Familie haben bin ich nicht so sicher. Ich möchte die Welt sehen und einen guten Job finden, also vielleicht werde ich keine Lust oder Zeit haben, Kinder aufzuziehen.
>
> Yasmin

> **Ich möchte in der Zukunft heiraten und auch eine große Familie haben. Ich bin Einzelkind und es kann ein bisschen einsam sein, also ich möchte viele Kinder haben, vielleicht vier oder fünf. Als Erstes werde ich zur Universität gehen und einen Job finden. Kinder sind teuer!**
>
> **Monika**

> Ich werde nie heiraten, weil meine Eltern geschieden sind. Die Eltern von meinen zwei besten Freunden sind auch getrennt. Ich glaube, dass es Zeitverschwendung ist. Meine Schwester ist jetzt verlobt, aber ich halte sie für verrückt.
>
> Dieter

a) Will Yasmin get married?

b) What does she want to do in the future?

c) Why might she not have children?

d) Why does Monika want a big family?

e) What does she want to do first?

f) Why doesn't Dieter want to get married?

g) Does Dieter's sister want to get married? What does Dieter think of this?

If you read the questions __before__ reading the text, it might help you to work out what's being said.

Q2 Write a paragraph describing your family and pets. You should talk about:

- what they look like (briefly)
- their personalities
- how you get on with them and why

She's always been his favourite...

Q3 Write a few sentences about your future plans.

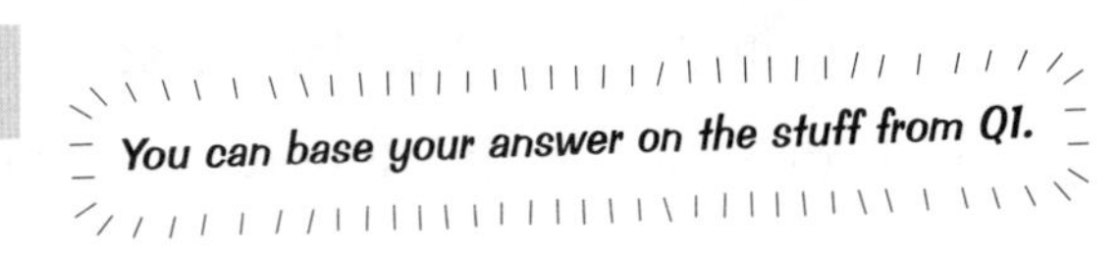

You can base your answer on the stuff from Q1.

Social Issues and Equality

Q1 Match the German words and phrases to the English translations.

a) die Armut	**1) unemployment**
b) die Gewalt	**2) vandalism**
c) der Vandalismus	**3) equal opportunities**
d) der Rassismus	**4) discrimination**
e) die Gesellschaft	**5) homelessness**
f) die Gleichberechtigung	**6) violence**
g) die Diskriminierung	**7) society**
h) die Arbeitslosigkeit	**8) poverty**
i) die Obdachlosigkeit	**9) racism**

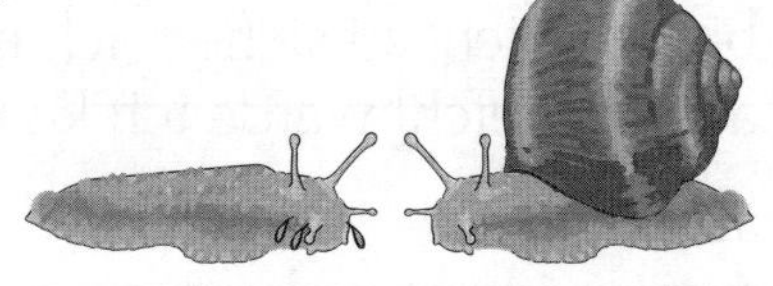

Q2 Read the following article and answer the questions afterwards. You know the score.

Die Arbeitslosigkeit und die Obdachlosigkeit

In meiner Gegend am Stadtrand gibt es einige Arbeitslosen und besonders junge Leute haben manchmal ein Problem, Arbeit zu finden. Wenn man also einen Job sucht, muss man sehr flexibel sein und neue Aufgaben lernen, vielleicht auch eine Umschulung* machen, aber es gibt fast keine Stellenangebote. In der Großstadt ist es leider nicht einfacher, Arbeit zu finden und auch gibt es viele Obdachlosen. Das ist ein großes Problem bei uns.

*(retraining)

a) According to the article, which people find it particularly difficult to find work?

b) What does the writer suggest can help?

c) Where is it no easier to find work?

d) What additional problem is there here?

Ich kaufe 'The Big Issue' (das britische Obdachlosenmagazin) einmal pro Monat, um die Arbeitslosen zu helfen. Meiner Meinung nach muss man heutzutage dankbar sein, wenn man Arbeit hat und Geld genug hat, eine Wohnung zu mieten.

e) What does the writer say he or she does to help?

f) What opinion does he or she give?

Q3 Answer the following questions as fully as possible in German.

a) Ist die Gewalt ein Problem in unserer Gesellschaft?

b) Was hältest du von Vandalismus?

c) Hast du schon Diskriminierung erfahren? Wie? Wann? Was hast du gemacht?

Feeling Ill

Q1 What's the German for these body parts? If you have more than one of the part, give the plural too.

a) foot
b) arm
c) leg
d) head
e) neck, throat
f) hand
g) stomach
h) knee
i) toe
j) finger
k) mouth
l) tooth
m) eye
n) ear
o) nose

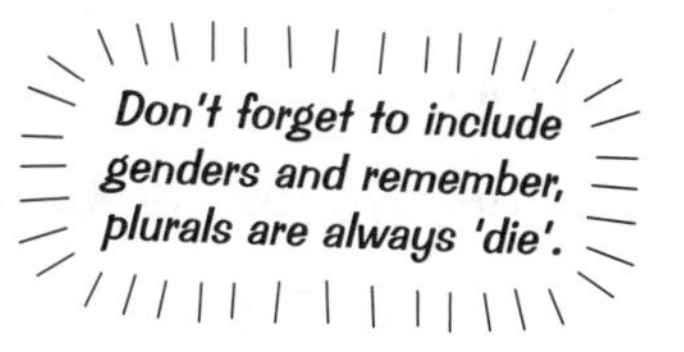

Don't forget to include genders and remember, plurals are always 'die'.

Großmutter! Du hast so große Augen...

You never know when this vocab's gonna come in handy.

Q2 You have some visitors from Germany and they all seem to be ill at once. Translate these phrases into English.

a) "Mir ist sehr heiß und ich habe Ohrenschmerzen."

b) "Mir ist kalt und ich habe Kopfschmerzen."

c) "Ich bin durstig und ich habe Fieber."

d) "Meine Beine tun weh und ich habe Bauchschmerzen."

e) "Ich habe Halsschmerzen und ich huste."

f) "Ich glaube, ich habe die Grippe."

g) "Ich habe mich am Finger geschnitten und er blutet viel."

h) "Ich bin erkältet und habe einen steifen Hals."

Q3 On the return trip, it's you and your friends' turn to be ill. Translate the following phrases into German.

a) I am very tired and thirsty.
b) James has a sore throat and earache.
c) Oliver is having difficulty breathing and must go to the hospital.
d) Harriette has backache.
e) My hand hurts. I need to go to the doctor's.
f) My sister has a temperature.
g) Doris is unconscious.
h) My eyes hurt.

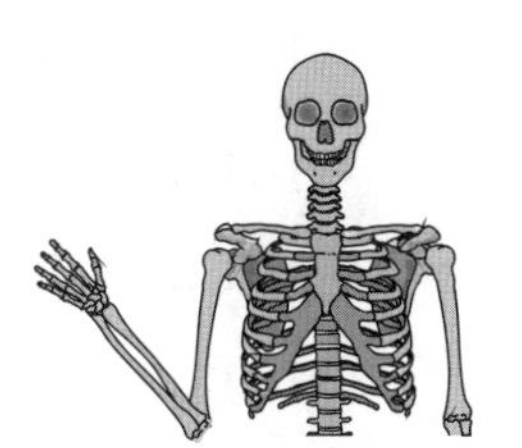
My hand hurts. I need to go to the doctor.

Health and Health Issues

Q1 Say whether each of these statements is gesund (healthy) or ungesund (unhealthy).

a) Ich versuche, zu viel Kuchen und Pasteten zu vermeiden.
b) Ich trinke Cola zum Frühstück.
c) Ich versuche, jede Woche aktiv zu sein, aber ich schaffe es nie.
d) Ich esse viel Gemüse und Obst.
e) Ich schwimme regelmäßig und mache oft Aerobic.
f) Ich rauche zwanzig Zigaretten pro Tag.
g) Ich trinke nur Sprudel.
h) Fast jeden Tag esse ich Pizza.
i) Jeden Abend trinke ich eine Flasche Wodka.
j) Ich versuche, nie den Aufzug zu nehmen und ich gehe zu Fuß zur Schule.
k) Ich habe nie Drogen genommen.

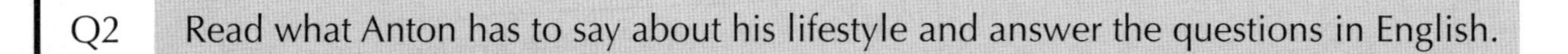

Q2 Read what Anton has to say about his lifestyle and answer the questions in English.

Ich heiße Anton. Ich bin seit vier Jahren Mitglied einer Basketballmannschaft. Montags und Mittwochs haben wir Spiele und am Wochenende trainieren wir. Man muss sehr fit sein um in der Mannschaft zu bleiben. In der Schule spiele ich auch Tennis und ein bisschen Hockey. Aktiv sein ist für mich sehr wichtig. Ich werde gestresst, wenn ich mich nicht jeden Tag irgendwie bewege. Leider esse ich unheimlich gern Süßigkeiten. Abends habe ich oft Lust, Schokolade zu essen, besonders wenn ich Hausaufgaben mache. Ich trinke auch manchmal Cola und Limonade, aber ich esse lieber Biokost-Gemüse und Obst und das ist nicht so schlimm! Weil ich so viel Sport mache, bin ich nicht übergewichtig und ich werde in der Zukunft versuchen, zu viel Zucker zu vermeiden.

a) What does Anton do out of school to keep fit?
b) What does Anton do in school to keep fit?
c) Why does he say it's important for him to be active?
d) What not-so-healthy things does he eat and drink?
e) What does he say he does to balance that out?
f) What does he say he will try to do in the future?

Health and Health Issues

Q1 Read the passage then choose the correct answers below to complete the statements.

e.g. The writer is called Marie/Manfred/Sonja. Correct answer = Sonja

Ich bin Sonja. Ich bin fünfzehn Jahre alt. Ich habe schon mit zwölf Jahren geraucht. Meine Eltern rauchen zu Hause, aber ich nur mit Freunden draußen im Park oder bei einer Party. Wir finden Rauchen cool, meine Freunde und ich, aber ich würde nie Drogen nehmen. Ich finde das widerlich und zu gefährlich. Ich will auch nicht abhängig sein. Ich weiß, dass einige meiner Schulkollegen Drogen nehmen und das ist für meine Stadt ein großes Problem. Ein Mädchen hat schon eine Überdosis genommen. Ich trinke nur zu Hause, wenn meine Eltern da sind, vielleicht ein Glas Wein oder Bier. Ich mache mir aber Sorgen, dass mein Onkel auf dem Weg zum Alkoholiker ist. Er ist fast jedes Wochenende betrunken und er trinkt immer mehr. Er ist seit einem Jahr von meiner Tante getrennt und er trinkt, meine ich, um seine Probleme zu vergessen.

Use the questions to give you clues about the meaning of the text.

a) Sonja has been smoking since she was 15/12/11.

b) She smokes at home/outside/at school.

c) She and her friends think that smoking is great/dangerous/dreadful.

d) She doesn't take drugs because they're too expensive/they smell/they're too dangerous.

e) Alcohol/Smoking/Drug-taking is a big problem in her town.

f) A girl at her school has already got drunk/taken an overdose/got caught smoking.

g) At home she drinks only if her parents are there/at the weekends/with meals.

h) She thinks her uncle is becoming a drug addict/forgetful/an alcoholic...

i) ...because he loses things/is drinking more and more/never gets drunk.

j) She thinks he does this because he wants to forget his problems/sleep better/meet people.

Q2 Answer the following questions in German and in full sentences.

a) Isst du gesund? Warum/warum nicht? Was isst du?

b) Was machst du, um fit zu bleiben?

c) Was denkst du über Trinken?

d) Was denkst du über Rauchen?

e) Sind Drogen ein Problem in unserer Gesellschaft?

Isst du gesund?
Was denkst du über Rauchen?
Bist du fit?

Sports and Hobbies

Q1 Write the German words for all these hobbies and places.

a) badminton
b) to jog
c) to play football
d) fitness centre
e) table tennis
f) squash
g) to swim
h) to walk in the park
i) to ski
j) hockey
k) to fish
l) bowling alley
m) sports field
n) tennis
o) to hike
p) to run
q) indoor swimming pool
r) sports centre
s) to cycle
t) open air swimming pool

Don't forget to use 'der', 'die' or 'das' when you need them.

Q2 This man has been tattooed with some of his favourite German words. Write out the following passage, using the words to fill in the gaps.

Matthias geht gern ins Schwimmbad, weil er sehr gern .... . Im Winter schwimmt er im .... , aber wenn es heiß ist, geht er lieber ins .... . Manchmal .... er sich mit seinen Freunden am .... und sie spielen Fußball zusammen. Im .... spielen sie Badminton oder Tischtennis. Im Sommer geht er oft mit seinem Bruder in den Park, wo sie .... spielen, aber im Winter bleiben sie zu Hause und spielen .... oder hören Musik, weil sie viele .... haben. Ab und zu gehen sie in die Kegelbahn, um zu .... .

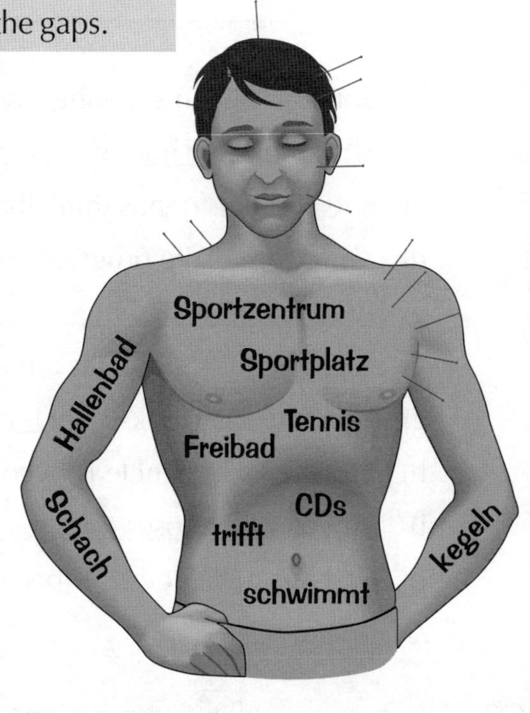

Q3 Answer the following questions in German.

a) Wie findest du Fußball?
b) Was hältst du von Radfahren?
c) Was denkst du über Singen?
d) Was ist deine Meinung zum Kino?
e) Wie findest du Wandern?
f) Was hältst du von Schach?
g) Was denkst du über Tanzen?
h) Was ist deine Meinung zu Briefmarkensammeln?
i) Wie findest du Kegeln?
j) Was hältst du von Lesen?

Sports and Hobbies

Q1 Find the **8 musical instruments** in the box and list them with their English equivalents.

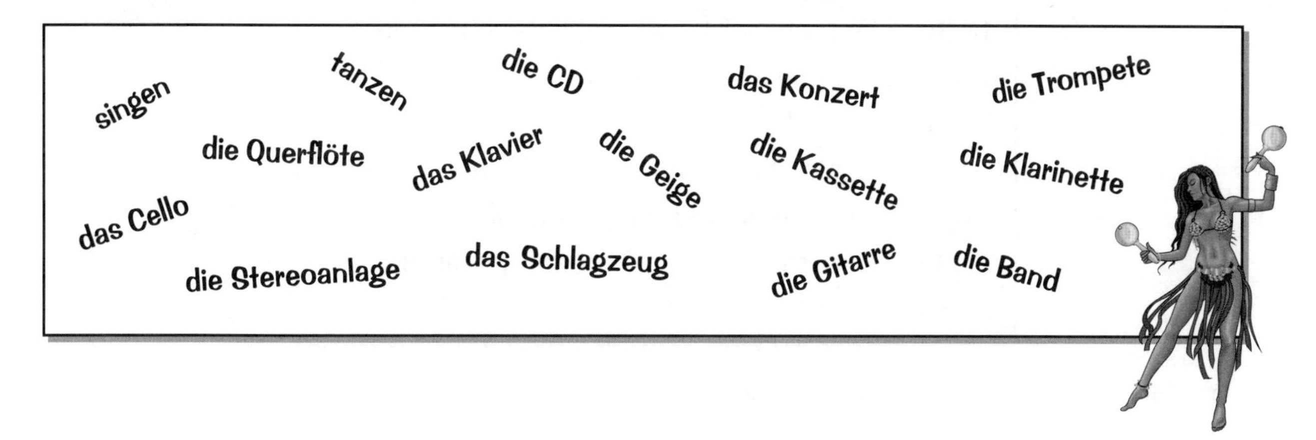

singen
tanzen
die CD
das Konzert
die Trompete
die Querflöte
das Klavier
die Geige
die Kassette
die Klarinette
das Cello
die Stereoanlage
das Schlagzeug
die Gitarre
die Band

Q2 Read what these German teenagers have to say about their hobbies, then answer the questions.

Sport interessiert mich nicht — ich finde es sehr anstrengend. Aber ich spiele gern Klavier — ich liebe Musik sehr. Ich bin Mitglied des Schulorchesters und spiele in einer Band mit meinen Freundinnen. Ich übe jeden Abend, meistens zu Hause. Ich möchte vielleicht Geige probieren.

Ich treibe gern Sport — besonders Squash und Tischtennis. Ich spiele Squash mit meinem Vater und Tischtennis mit meinen Freunden. Auch bin ich Mitglied eines Squashklubs. Ich finde Squash toll und sehr aufregend. Squash spiele ich am Samstagmorgen, und Tischtennis jeden zweiten Dienstag. Ich finde Badminton langweilig — Squash geht viel schneller.

Ich treibe nicht viel Sport, aber ich lese gern. Ich finde es sehr interessant. Auch gehe ich sehr gern ins Kino oder ins Theater. Ich habe zwei ältere Brüder und ich gehe jeden Samstag mit ihnen ins Kino und so oft wie möglich ins Theater. Es gibt ein Kino und ein sehr gutes Theater in der Stadt. Ich bin Mitglied eines Dramaklubs.

a) What sports does Markus like?
b) Why is Nadja not interested in sport?
c) Who is a member of a drama club?
d) Who does Markus play squash with?
e) Who does Stefan go to the cinema with?
f) How often does Nadja practise the piano?
g) Why does Markus prefer squash to badminton?
h) How often does Stefan go to the theatre?
i) Which instrument would Nadja like to try?

Television

Q1 Use this schedule for a German TV channel to answer the questions below in English.

18.30 Heinrich der Käse — Zeichentrickfilm
19.00 Blau oder Rot — Quizsendung
19.30 Erste Hilfe — Seifenoper
20.00 Angela und Guido — neue Komödienserie
21.00 Nachrichten und Wetterbericht
22.00 Die beste Werbung — Dokumentarfilm
22.30 Felix Smith — britischer Krimi (mit Untertitel)

a) How is 'Angela und Guido' described?
b) What's on at 21.00?
c) What type of programme is on at 22.00? What's it about?
d) How does the schedule describe 'Felix Smith'?
e) What kind of programme is 'Heinrich der Käse'?
f) What sort of programme is 'Erste Hilfe'?

I'll get you this time Heinrich!

Q2 Gisela, Johann and their mum are talking about what to watch on TV tonight. Read their conversation and answer the questions that follow.

MUTTER: Ich möchte gern heute Abend den neuen Dokumentarfilm von David Attenborough sehen — Tiere finde ich so faszinierend.
GISELA: Um wie viel Uhr fängt er an?
MUTTER: Um 9 Uhr.
JOHANN: Ach Mutti, ich will aber die Simpsons sehen — ich finde Bart so komisch. Gisela, was möchtest du sehen?
GISELA: Ich mag sehr gern Seifenopern, wie du schon weißt. Um 8 Uhr läuft auch Scrubs.
MUTTER: Also Kinder, macht euere Schularbeit, während ich meine Lieblingsquizsendung sehe und dann könnt ihr fernsehen! Um 8 Uhr kann ich den Nachrichten und dem Wetterbericht im Radio zuhören und später, wenn ihr ins Bett gegangen seid, kann ich einen Spielfilm ansehen.
J & G: Danke Mutti!

a) Why does Johann and Gisela's mother want to watch the documentary?
b) At what time does it start?
c) Why does Johann enjoy watching the Simpsons?
d) What sort of programmes does Gisela love to watch?
e) What is their mother going to watch while Johann and Gisela do their homework?
f) What is their mother going to listen to while Johann and Gisela watch TV later?
g) What is their mother going to do after Johann and Gisela have gone to bed?

Talking About the Plot

Q1 Match up these sentences with the correct English translations.

a) Ich fand den Film sehr interessant.
Er hat mir gefallen.

b) Das Buch hat mir nicht gefallen.
Es war langweilig.

c) Das Theaterstück war faszinierend.
Ich fand es sehr gut.

d) Den Roman fand ich sehr amüsant.
Er hat mir gut gefallen.

e) Es war eine interessante Vorstellung.
Ich fand sie ganz spannend,
aber ein bisschen traurig.

1) It was a very amusing novel.
I liked it.

2) It was an interesting performance.
I found it quite tense but a little sad.

3) I found the film very interesting.
I liked it.

4) I didn't like the book.
It was boring.

5) The play was fascinating.
I found it very good.

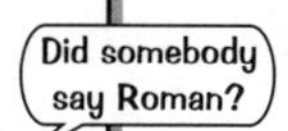

Q2 Read the following film review and answer the questions in English.

GIGANTIC!

Dieser Film ist eine Liebesgeschichte, aber auch ein Katastrophenfilm. Am Anfang des Films hat ein junger Mann namens Jack bei einem Kartenspiel eine Überfahrt nach Amerika mit dem schnellsten und größten Passagierschiff der Welt, dem Gigantic, gewonnen. Eine junge Dame namens Rose begegnet Jack — sie sind wie Romeo und Juliet in der modernen Welt, weil ihre Liebe verboten ist. Aber am Ende des Films, anders als im Theaterstück von Shakespeare, stirbt nur einer der Verliebten.

Ich fand den Film sehr spannend und auch äußerst traurig. Meiner Meinung nach ist er eine richtige Tragödie. Die Schauspieler haben mir auch sehr gut gefallen — man glaubt völlig an ihre Liebe. Ich bin sicher, dass dieser Film furchtbar erfolgreich sein wird.
Bringen Sie Ihre Taschentücher mit!

a) The film is described as a mixture of which two types of film?

b) How is the ship described?

c) Why does the reviewer say that this film is like "Romeo and Juliet"?

d) What is the difference between the ending of the Shakespearean play and this film?

e) How does the reviewer describe the film at the beginning of the second paragraph and what genre of film does he categorise it as?

f) What is his opinion of the actors?

g) Why does he say this?

h) How does he predict that film audiences will receive the film?

i) What advice does the reviewer give at the end?

Music

Q1 Match the following pictures with the descriptions.

a) Mein Lieblingssänger ist Hermann Musiker. Er spielt Schlagzeug.

b) Ich höre gern 'Muzik Crew', eine Gruppe von zwei Rapmusikern und einer Sängerin.

c) Ich höre lieber klassische Musik, besonders Anders Flanders. Er spielt Geige.

d) Ich liebe die Gruppe 'Schmetterling'. Die drei Sängerinnen sehen so schön aus.

e) Ich höre am besten die Gruppe 'Wundermannschaft'. Es gibt drei Brüder in der Gruppe.

f) Meine Lieblingssängerin heißt Claudia Winkelmesser. Sie singt und spielt Gitarre.

Q2 Part of your summer job is to carry out a ridiculous market research survey on how German people listen to music. Translate what these people tell you into English.

a) Mein Onkel ist altmodisch. Er hat eine Kassettensammlung zu Hause.

b) Im Auto hören wir immer moderne Musik.

c) Im Bus höre ich Rapmusik auf meinem Mp3-Spieler.

d) Mein Freund und ich gehen am Wochenende in einen Klub und sehen Popgruppen.

e) Ich höre gern klassische Musik im Bad.

f) Ich höre Rockmusik mit meinem Vater. Er hat viele alte CDs.

g) Meine Mutti hört Volkmusik im Radio.

h) Ich habe alle meinen Lieblingsgruppen auf meinem iPod®.

i) Wir haben eine Stereoanlage in unserem Wohnzimmer — wir hören jeden Tag Klaviermusik.

j) Meine Schwester liebt Kylie Minogue und singt alle ihre Lieder.

Famous People

Q1 The celebrity trapeze artist Rolf Williams is giving an interview to Johann Ross on channel 4043. Read this transcript of their interview and answer the questions below.

JOHANN ROSS:	Willkommen Rolf. Warum glaubst du, dass du so sehr erfolgreich gewesen bist?
ROLF WILLIAMS:	**Ich weiß nicht — ich bin ein ganz normaler Mensch, aber ich habe viel Glück gehabt.**
JOHANN ROSS:	Als du jünger warst, hast du viele Probleme gehabt, nicht wahr?
ROLF WILLIAMS:	**Ja, aber jetzt trinke ich keinen Alkohol, ich rauche nicht und nehme keine Drogen.**
JOHANN ROSS:	Glaubst du, dass du jetzt ein Rollenbild für junge Leute bist?
ROLF WILLIAMS:	**Ich glaube, dass alle berühmte Persönlichkeiten als positive Beispiele für Jugendliche dienen sollten.**
JOHANN ROSS:	Was machst du, um deine Fans gut zu beeinflussen*?
ROLF WILLIAMS:	**Ich versuche immer in meinem täglichen Leben alle Leute nett zu behandeln.**
JOHANN ROSS:	Warum hältst du das für wichtig?
ROLF WILLIAMS:	**Ich weiß, dass ich eine große Verantwortung jungen Leuten gegenüber habe, weil sie mich bewundern.**
JOHANN ROSS:	Sicherlich. Vielen Dank Rolf. Es hat mich gefreut, mit dir zu sprechen.

**beeinflussen = to influence*

a) Why does Rolf say he has been so successful?

b) What changes has Rolf made in his life, after the problems he had as a young man?

c) Who does Rolf believe should be role models for young people?

d) What does Rolf do in order to set a good example to his fans?

e) Why does he feel he has a responsibility to young people?

Q2 Translate these sentences about famous people into German.

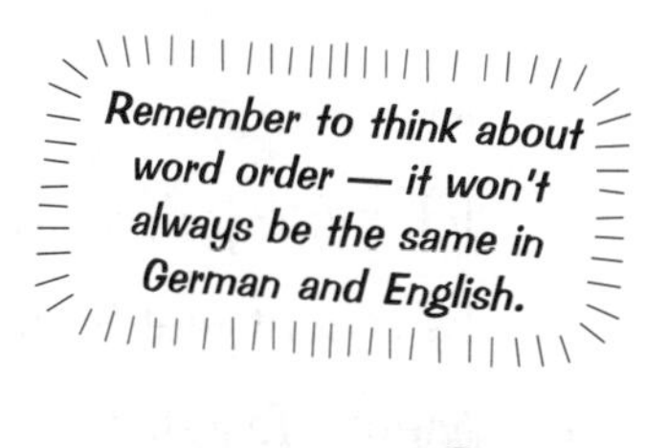

Remember to think about word order — it won't always be the same in German and English.

a) Kylie Minogue is a famous pop singer.

b) On the stage she looks very pretty and sings beautifully.

c) I think she is a fantastic role model for young girls.

d) Pop singers can be heroes and heroines for young people

e) Not all celebrities are positive examples for young people.

f) Some actresses and supermodels are too thin.

g) Successful and famous people should be more responsible.

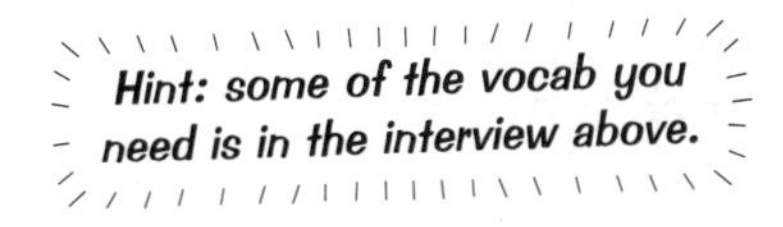

Hint: some of the vocab you need is in the interview above.

New Technology

Q1 Lukas has had a great idea for the school magazine. Write out his conversation with Anna about it, using the words in the oval to fill in the gaps.

I'll be through in a minute dear — I'm just updating my blog.

LUKAS: Ich möchte eine .... für die Schulzeitschrift machen.

ANNA: Gute Idee! Wirst du auch Fotos .... ?

LUKAS: Ja, hoffentlich. Die neue Technologie finde ich so .... .

ANNA: Genau. Ich verbringe viel Zeit vor meinem .... .

LUKAS: Ich auch. Aber Mutti sagt, dass es nicht gut für die .... ist.

ANNA: Aber man kann so viel Zeit .... , wenn man die .... macht. Ich finde die Informationen in einer .... , ich lade sie von einer Webseite im Internet .... und der .... stellt eine schöne Hausarbeit her.

LUKAS: Auch lese ich sehr gern Online- .... . Schreibst du auch ein Blog?

ANNA: Nein, aber ich plaudere viel mit meinen Freunden .... .

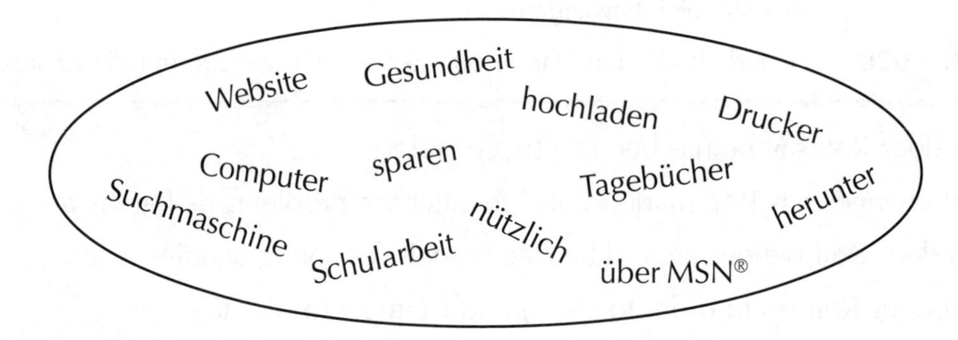

Website
Gesundheit
hochladen
Drucker
Computer
sparen
Tagebücher
Suchmaschine
nützlich
herunter
Schularbeit
über MSN®

Q2 Translate these sentences into English.

a) Ich finde Computer sehr nützlich. Meine Schularbeit könnte ich nicht so schnell ohne die moderne Technologie machen.

b) Mein Bruder verbringt sehr viel Zeit vor seinem Computer.

c) Ich surfe jeden Abend stundenlang im Internet.

d) Es macht viel Spaß mit meinen Freundinnen über MSN® zu plaudern.

e) Meine Tastatur ist kaputt — ich muss alles schreiben — das finde ich so langweilig!

f) Was machte man in der Vergangenheit* ohne Suchmaschinen?

g) Ich mag sehr gern meine eFotos zu meinem Blog hochladen.

h) Ich kann im Moment meinen Drucker nicht benutzen. Ich habe keine schwarze Tinte.

i) Mutti will eine Website für unsere Familie machen.

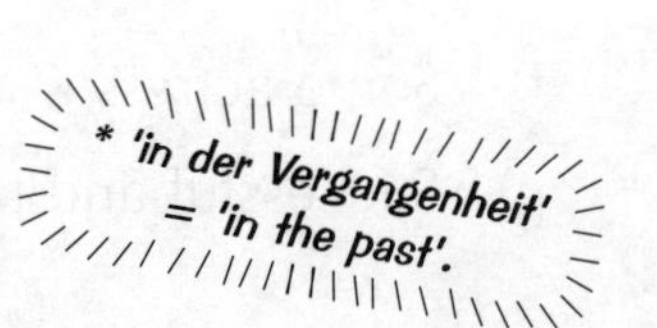

E-mail and Texting

Q1 Read these text messages between Max and Tobias and answer the questions.

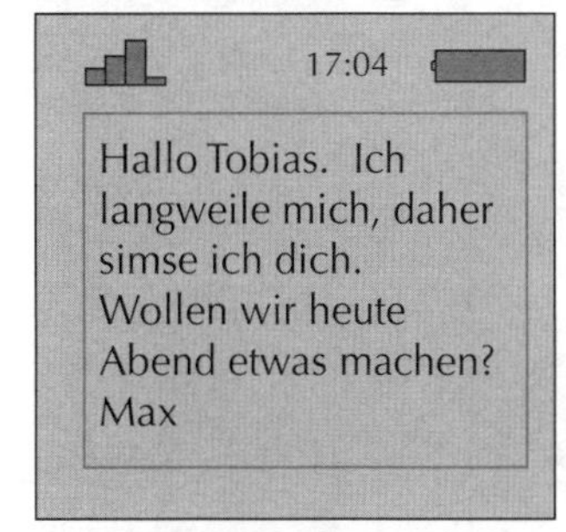

17:04
Hallo Tobias. Ich langweile mich, daher simse ich dich. Wollen wir heute Abend etwas machen? Max

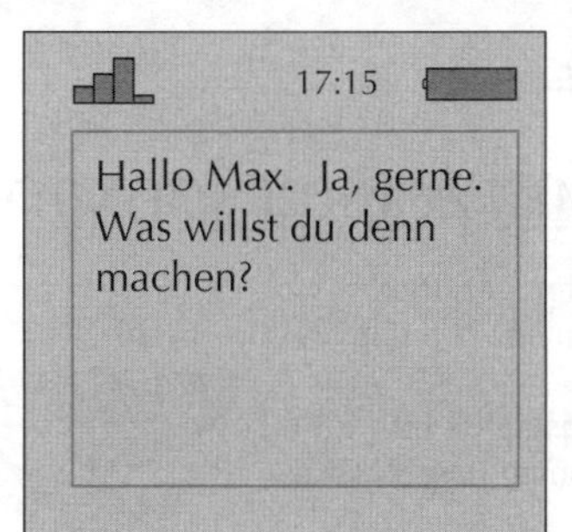

17:15
Hallo Max. Ja, gerne. Was willst du denn machen?

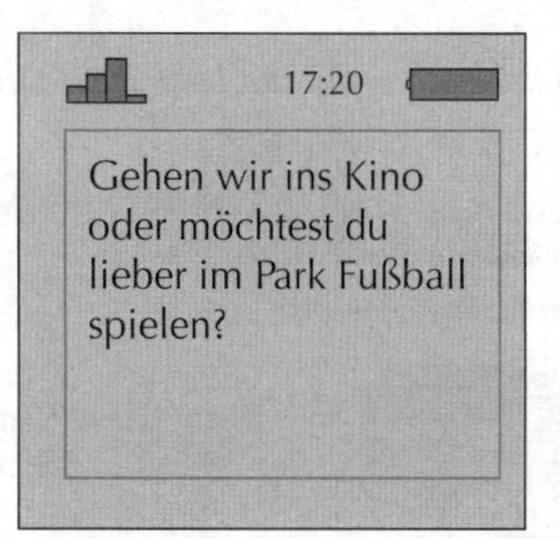

17:20
Gehen wir ins Kino oder möchtest du lieber im Park Fußball spielen?

17:22
Weil das Wetter so schön ist, sollten wir eigentlich draußen spielen, finde ich.

17:25
Okay. Wann treffen wir uns? Um 7 Uhr?

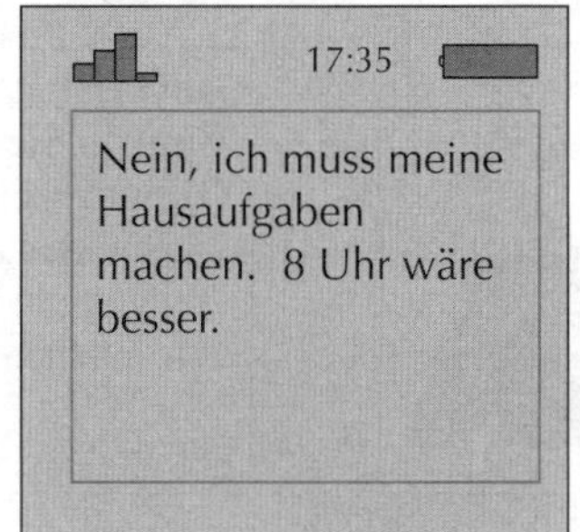

17:35
Nein, ich muss meine Hausaufgaben machen. 8 Uhr wäre besser.

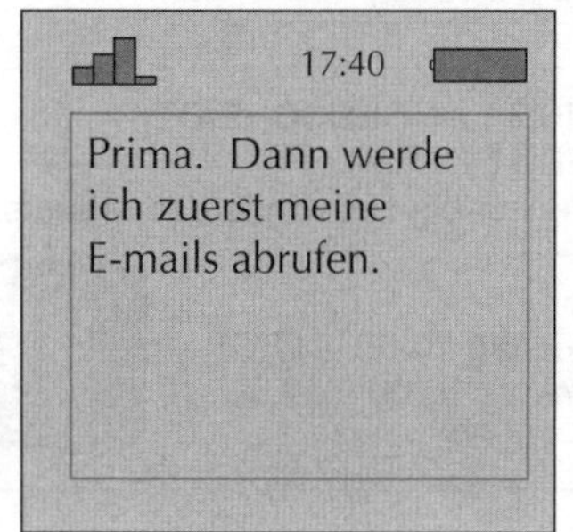

17:40
Prima. Dann werde ich zuerst meine E-mails abrufen.

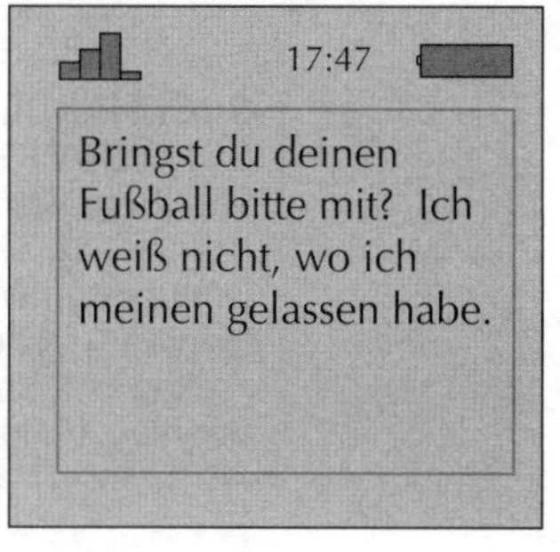

17:47
Bringst du deinen Fußball bitte mit? Ich weiß nicht, wo ich meinen gelassen habe.

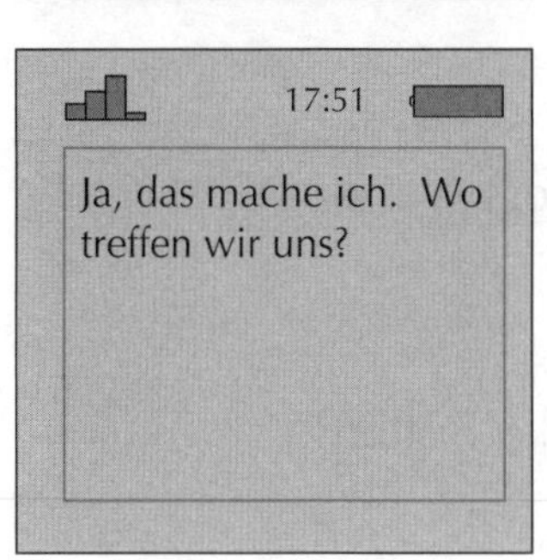

17:51
Ja, das mache ich. Wo treffen wir uns?

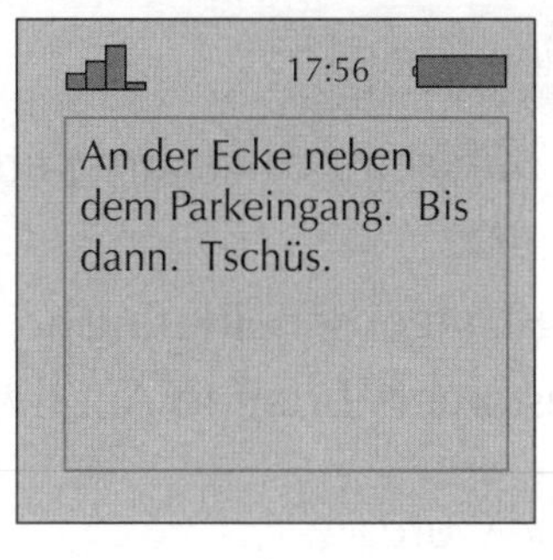

17:56
An der Ecke neben dem Parkeingang. Bis dann. Tschüs.

This new mobile phone's so handy, I just don't know how I ever lived without it.

a) Why is Max texting Tobias?

b) When does Max want to meet up?

c) What are the two activities that he suggests?

d) What would Tobias prefer to do?

e) Why does he think that would be a better choice?

f) What time do they decide to meet?

g) Why can't Tobias meet at 7.00?

h) What is Max going to do until they meet?

i) What does Tobias ask Max to bring and why can't he bring his own?

j) Where are they going to meet?

Q2 Write a blog entry of about 100-150 words about something you've done in the past week.

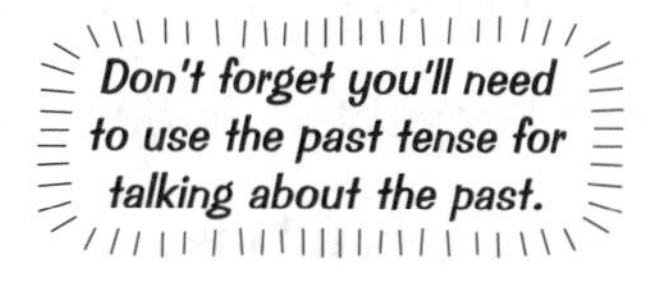

Don't forget you'll need to use the past tense for talking about the past.

Shopping

Q1 **Write out sentences in German giving the opening and closing times of each of these shops. Try to write at least ten sentences altogether.**

e.g. Die Konditorei Bahlsen macht um halb zwölf auf.

KONDITOREI BAHLSEN
Probieren Sie unsere leckeren Kuchen
Perfekt mit einer schönen Tasse Kaffee
Montag - Sonntag 11.30 - 16.45

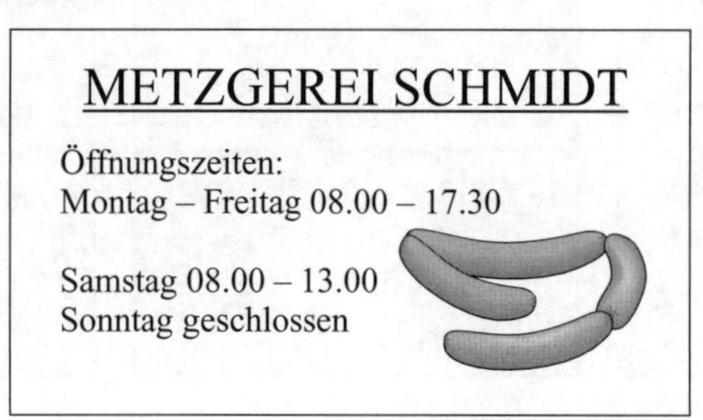

METZGEREI SCHMIDT
Öffnungszeiten:
Montag – Freitag 08.00 – 17.30
Samstag 08.00 – 13.00
Sonntag geschlossen

BUCHHANDLUNG LANGENSCHEIDT
SONDERANGEBOT
25% Ermäßigung nur bis zum Ende des Monats!

Öffnungszeiten:
Montag – Donnerstag 10.00 – 17.15
Freitag und Samstag 10.00 – 19.30
Sonntag 11.00 – 16.00

APOTHEKE BOTTEN
Bringen Sie uns Ihre Rezepte
Öffnungszeiten:
24 Stunden /
7 Tage jede Woche
Wir machen nie zu!

Q2 **Use the adverts from Q1 to answer these questions.**

a) What does the advert say Konditorei Bahlsen's cakes are perfect with?
b) What day is Metzgerei Schmidt closed?
c) When does the sale at Buchhandlung Langenscheidt finish?
d) What does the advert suggest that customers bring to Apotheke Botten?

Q3 **Write out the following sentences, using the words from Beethoven's hair and jacket to complete them.**

a) Wo ist der .... bitte? Ich möchte Kartoffeln kaufen.
b) Ich bin zu spät — die Drogerie hat schon .... .
c) Um wieviel Uhr macht die Bäckerei .... ? Ich muss Brot kaufen, bevor ich in die Arbeit gehe.
d) Wo kann man Umschläge kaufen? Bei dem .... .
e) Sechs Brötchen? Das kostet .... .
f) Meine Schwester will einen neuen Rock kaufen. Ihre .... ist achtunddreißig.
g) Ich hätte gern mein Geld für diesen Mantel .... .
h) Es gibt bei KaDeWe einen .... mit 30% .... .
i) Meine Mutter geht .... in den Supermarkt.
j) Mein Bruder geht oft ins .... — er kauft sehr gern CDs ein.

Shopping

Q1 You're staying with your pen friend's family in Germany and you want to make a special meal to thank them for letting you stay. How would you say the following in German?

a) I would like 1 kilo of apples and 500 g of pears please.

b) A bar of chocolate and a dozen eggs please.

c) Two tins of peas and a bottle of milk.

d) Do you have any peaches? I'd like 250 g please.

e) A jar of raspberry jam, butter and 500 g of cheese please.

f) What sort of sausages do you have?

g) Six slices of ham and a bag of sugar please.

h) I'd like a strawberry ice cream and a large slice of cheesecake please.

Then add the peas and blend to make a delicious pea milkshake...

Q2 While you're out shopping you overhear the following conversations. Read them then answer the questions below.

VERKÄUFERIN: Guten Morgen. Kann ich Ihnen helfen?
HELGA: Ja, ich möchte gern einen roten Pullover, bitte.
VERKÄUFERIN: Hier ist ein schöner aus Wolle. Welche Größe sind Sie?
HELGA: Meine Größe ist vierzig, aber ich hätte lieber Baumwolle.
VERKÄUFERIN: Leider haben wir keine Pullis aus Baumwolle.
HELGA: Schade. Wie viel kostet er?
VERKÄUFERIN: €50
HELGA: Ach nein. Das ist mir zu teuer. Auf Wiedersehen.

VERKÄUFERIN: Guten Morgen. Kann ich Ihnen helfen?
BETTINA: Ich habe gestern diese Hose gekauft, aber jetzt gefällt mir die Farbe nicht.
VERKÄUFERIN: Es tut mir Leid. Möchten Sie eine andere Farbe probieren?
BETTINA: Haben Sie eine graue Hose in dieser Größe?
VERKÄUFERIN: Nein, haben wir nicht.
BETTINA: Dann lasse ich sie. Ich hätte gern mein Geld zurück, bitte.

a) What sort of shop is it?
b) What does Helga want?
c) What is the item made of?
d) What size is Helga?
e) Which material would she prefer?
f) How much does the item cost?
g) Why doesn't Helga want the item?
h) What does Bettina want to do and why?
i) What colour does she want now?
j) What does she decide to do?

Shopping

Q1 Write a sentence in German to describe what each person is wearing.

e.g. Lieselotte trägt eine weiße Bluse und einen schwarzen Rock.

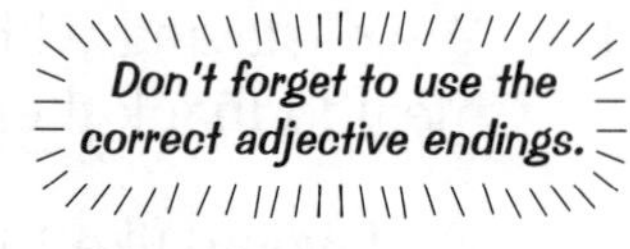

Don't forget to use the correct adjective endings.

Q2 Translate the English words into German to complete these sentences about clothes.

a) Ich mag diesen *(yellow miniskirt)* gar nicht — er ist *(ugly)*.

b) Dieser Pullover ist wirklich *(comfortable)* — ich liebe *(woollen clothing)*.

c) *(Fashionable)* Kleider sind gewöhnlich *(expensive)*.

d) *(Shirts)* aus Baumwolle sind im Sommer *(more comfortable)*.

e) Mein Bruder möchte gern *(a black leather jacket)*.

f) Ich kaufte *(a silk tie)* für meinen Vater — *(it)* ist sehr modisch.

g) Meine kleine Schwester trägt sehr gern *(pink dresses)*.

h) Zu Weihnachten tragen wir alle *(paper hats)*.

i) Ich gab meiner Freundin *(some red leather gloves)* zu ihrem Geburtstag.

j) Hast du eine *(light brown)* oder *(dark brown)* Strumpfhose lieber?

Inviting People Out

Q1 You are staying with your pen friend Rudolf in Germany. He suggests a variety of activities. Write out your response in German using the information in brackets.

a) Gehen wir ins Theater? **(No, I haven't got enough money.)**
b) Spielen wir Fußball? **(No, I'd prefer to play tennis.)**
c) Gehen wir zum Park? **(Yes, I'd like to go fishing.)**
d) Spielen wir Schach? **(Yes, good idea!)**
e) Gehen wir ins Fitnesszentrum? **(Yes, I'd like to play badminton.)**
f) Treffen wir uns mit meinen Freunden? **(No, I'm sorry.)**
g) Gehen wir in die Kegelbahn? **(Unfortunately I can't.)**
h) Fahren wir heute Morgen Rad? **(No, I'd prefer to go jogging.)**

Q2 Read the following conversations and answer the questions in English.

***Silke*: Wo treffen wir uns, um einkaufen zu gehen?**
***Tanja*: Am Marktplatz.**
***Silke*: Um wie viel Uhr?**
***Tanja*: Zu Mittag.**

***Stefan*: Wo treffen wir uns, wenn wir zum Fußballspiel gehen?**
***Ralf*: Bei mir.**
***Stefan*: Um wie viel Uhr?**
***Ralf*: Um Viertel nach zwei.**

***Petra*: Wo treffen wir uns, um in der Bibliothek zu studieren?**
***Uwe*: An der Ecke vor der Post.**
***Petra*: Um wie viel Uhr?**
***Uwe*: Um etwa 5 Uhr.**

a) What are Ralf and Stefan planning to do?
b) What are Tanja and Silke planning to do?
c) Where will Petra and Uwe meet?
d) Where are Ralf and Stefan going to meet?
e) What time are Petra and Uwe meeting?
f) Where do Tanja and Silke arrange to meet?
g) What time are Tanja and Silke going to meet?
h) What are Petra and Uwe going to do?

Q3 Complete the conversation by translating Niklas' sentences into German.

SVEN: **Grüß dich Niklas! Wo gehst du hin?**
NIKLAS: I'm meeting my brother in town.
SVEN: **Schön. Was macht ihr denn zusammen?**
NIKLAS: We're going to meet in front of the town hall and go to the cinema.
SVEN: **Wann beginnt der Film?**
NIKLAS: At 7.30. Afterwards we're going to the restaurant.
SVEN: **Gute Idee! Ich gehe jetzt in die Kegelbahn.**
NIKLAS: Would you like to meet us in the restaurant at 10 o'clock?
SVEN: **Ja, gern. Bis dann!**

Sven had better watch out for those man-eating Kegel barn owls...

Going Out

Q1 Look at these adverts for activities in Berlin and then answer the questions.

SPORTZENTRUM BOCHUM
Öffnungszeiten
Montag bis Freitag
von 8.00 bis 20.00
Samstag
von 8.00 bis 17.00
Sonntag
von 10.00 bis 16.00
Badminton Tischtennis
Turnhalle Squash
Fitnessklassen
Leichtathletik
Erwachsene €2 die Stunde
Minderjährige €1.50 die Stunde

GYMNASIUM GOETHE
Aktivitäten (alle Willkommen)
Montag: Sprachen verbessern!
Dienstag: Mathe verstehen!
Donnerstag: Orchesterübung
Freitag: Informatik verstehen!
Samstagmorgen: Training — verschiedene Sportarten

JUGENDKLUB WIRKLICH LAUT
Beitritt nur €10 — sehr preiswert
Neue Freunde kennen lernen
Neue Sportarten probieren
Neue Musik hören
Imbissstube
Freitagabend von 19.00 – 22.00

a) Where can you go to practise track events?
b) What can you learn to understand on a Tuesday after school?
c) Can you play squash on a Saturday evening?
d) Where can you go to do aerobics?
e) What three things can you do at the youth club?
f) How much would a 3-hour session at the sports centre cost for an adult?
g) Where can you go to practise your computer skills and on which day?
h) Where could you get something to eat?

Kris and his friends loved to play squash on a Saturday evening.

Q2 Complete the conversation by translating the English sentences into German.

WOLFGANG: What is there around here?
MARTINA: **Es gibt ein Sportzentrum, eine Kegelbahn und einen Jugendklub.**
CHRISTIAN: Let's go to the sports centre to do some sports.
KATHARINA: **Gute Idee — Badminton und Squash spiele ich sehr gern.**
CHRISTIAN: What time does it open and close?
MARTINA: **Um acht Uhr morgens bis zwanzig Uhr abends.**
WOLFGANG: How much does it cost?
KATHARINA: **Nur €1.50 pro Person.**
WOLFGANG: And what can we do in the youth club this evening?
CHRISTIAN: **Wir könnten Tischtennis spielen und Musik hören.**

Going Out

Q1 Use the information in this cinema schedule to decide whether the statements below are true (T) or false (F). Write the false sentences out again with the correct information.

Der Herr der Ringe — Die zwei Türme
Mon – Frei 21.15
Samstag 14.30
Sonntag 10.45

Vier Hochzeiten und ein Todesfall
Mon – Frei 20.15
Samstag 15.30
Sonntag 19.45

Harry Potter und der Gefangene von Askaban
Mon – Frei 19.15
Samstag 12.30
Sonntag 16.45

Shrek — Der tollkühne Held
Mon – Frei 17.15
Samstag 14.30
Sonntag 16.45

Arielle — Die Meerjungfrau
Mon – Frei 18.15
Samstag 15.30
Sonntag 12.45

Der Zauberer von Oz
Mon – Frei 19.15
Samstag 16.30
Sonntag 14.45

a) Man könnte Arielle am Dienstag um Viertel nach sechs sehen.

b) Der Herr der Ringe fängt um halb zwei am Samstag an.

c) Shrek fängt um halb drei am Samstag an.

d) Der Zauber von Oz läuft am Samstag Nachmittag.

e) Vier Hochzeiten und ein Todesfall beginnt am Monntag um Viertel vor acht.

f) Man könnte Harry Potter am Sonntag um halb eins sehen.

Q2 You overhear this conversation on a bus in Hamburg. Read it then answer the questions.

HANNAH: Leonie, möchtest du am Samstagabend ins Kino gehen?
LEONIE: Ja, gern. Was läuft denn diese Woche?
HANNAH: 'Vom Winde verweht' — ich sehe alte Filme wirklich gern und dieser ist so romantisch!
LEONIE: Wie viel kostet eine Eintrittskarte?
HANNAH: Neun Euro — ziemlich teuer, nicht?
LEONIE: Ja, aber das geht. Um wie viel Uhr beginnt die Vorstellung?
HANNAH: Um halb acht.
LEONIE: Und wann endet sie?
HANNAH: Es ist ein sehr langer Film — ich glaube, dass er endet gegen 11.30.
LEONIE: Prima — meine Eltern sagen immer, dass ich zu Hause vor Mitternacht sein muss.

a) When does Hannah suggest they should go to the cinema?

b) Why does Hannah particularly want to see 'Vom Winde verweht'?

c) How much does it cost to get in?

d) What does Leonie think of the cost of a ticket?

e) When does the film start?

f) At what time does it end and why is that good for Leonie?

Holiday Destinations

Q1 What are these people saying?

a)

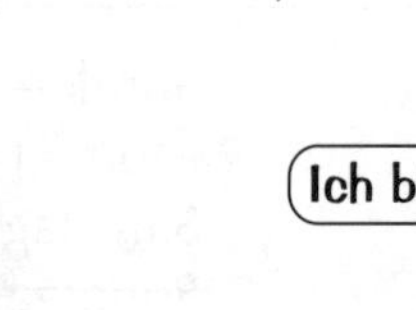

Ich komme aus Deutschland.

b)

Ich bin Franzose.

c)

Mein englischer Freund ist hier.

d)

Meine österreichische Freundin ist nett.

e)

Ich reise nach Russland.

f)

Ich fahre nach Spanien.

g)

Ich komme aus Griechenland.

h)

Ich bin Italienerin.

Q2 How would you say the following sentences in German?

Remember to think about the gender of the person you're writing about.

a) He comes from Australia.
b) She is Chinese.
c) I am travelling to Belgium.
d) She is going to America.
e) He is African.
f) My mum is Irish.
g) My Swiss friend (female) is here.
h) My Indian penpal (male) is nice.

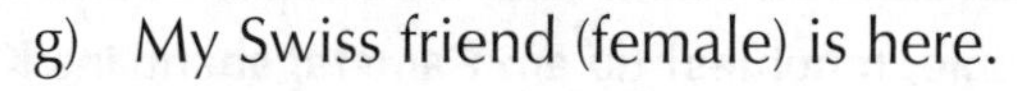

Q3 Read the passage below and answer the questions in English.

Hallo, ich heiße Adile. Ich komme aus der Türkei. Ich fahre dieses Jahr nach Italien. Ich reise mit meiner niederländischen Freundin, Ella. Letztes Jahr sind wir nach Deutschland gefahren. Wir haben den Schwarzwald und den Bodensee besucht und es hat viel Spaß gemacht. Vielleicht werden wir nächsten Sommer in die Vereinigten Staaten fahren, weil wir nicht in Europa bleiben wollen.

a) What nationality is Adile?
b) What nationality is her friend Ella?
c) Where are they going on holiday this year?
d) Where did they go last year?
e) What did they do while they were there?
f) Where might they go next year? Why?

Catching the Train

Q1 What do these signs mean?

a) ABFAHRT

b) ANKUNFT

c) WARTERAUM

d) GLEIS 7

e) Fahrkartenschalter

f) Fahrkartenautomat

Q2 Read this conversation in a ticket office and answer the questions below in English.

Petra:	**Fährt ein Zug nach Köln heute Nachmittag, bitte?**
Beamter:	Ja, bestimmt. Es gibt drei Züge nach Köln heute Nachmittag. Um wie viel Uhr möchten Sie abfahren?
Petra:	**Ich möchte um drei Uhr abfahren.**
Beamter:	Ach so, es gibt einen Zug um zwei Uhr fünfzig, um drei Uhr zehn oder um drei Uhr fünfundzwanzig.
Petra:	**Wunderbar! Einmal hin und zurück, bitte, um zwei Uhr fünfzig.**
Beamter:	Sehr gut. Erster oder zweiter Klasse?
Petra:	**Zweiter Klasse, bitte. Was kostet das?**
Beamter:	Hier, bitte. Das macht sechsundvierzig Euro. Der Zug fährt vom Gleis sieben ab.
Petra:	**Danke schön. Auf Wiedersehen.**

a) Where does Petra want to go?
b) How many trains are there?
c) What time are the trains?
d) What kind of ticket does she want?
e) Which time does she choose?
f) In which class is she travelling?
g) How much does the ticket cost?
h) Which platform does the train leave from?

Remember — some towns and cities have different names in German and English.

Q3 How would you say these in German?

a) One single ticket to Hamburg please.
b) Is there a train to Berlin?
c) Three return tickets to Leipzig please.
d) I would like to travel to Munich on Sunday.
e) Which platform does the train leave from?
f) When does the train arrive in Frankfurt?

All Kinds of Transport

Q1 How would you say in German:

a) I'm going on foot.
b) I'm travelling by car.
c) I'm travelling by train.
d) I'm travelling by boat.
e) We're travelling by plane.
f) They're travelling by coach.
g) She's travelling by tram.
h) He's travelling on the underground.
i) We're travelling by motorbike.
j) I'm staying at home.

Q2 Read what Hans has to say, then answer the questions in English.

Ich fahre normalerweise mit dem Bus zur Schule. Die Reise dauert nur fünfzehn Minuten. Aber wenn ich in die Stadt fahre, fahre ich mit dem Fahrrad oder gehe ich zu Fuß. Am Wochenende besuche ich meine Freunde und ich fahre mit der Straßenbahn oder mit der U-Bahn. Meine Großeltern wohnen ziemlich weit weg und wenn ich sie besuche, muss ich mit dem Auto oder mit dem Reisebus fahren. Am liebsten fahre ich mit dem Flugzeug oder mit dem Boot, wenn ich im Sommer auf Urlaub fahre.

a) How does Hans normally get to school?
b) How does he get to town?
c) When he visits friends, how does he travel?
d) When he visits his grandparents how does he travel?
e) What are his favourite modes of transport?

Q3 Klaus and Claudia are planning a trip to Cologne. Look at this bus timetable and write out their conversation again using the words on the right to fill the gaps.

Fahrplan nach Köln		
	Abfahrt vom Bahnhof	Ankunft in Köln
Montags bis Freitags	07.00 – 22.00 (jede 30 Minuten)	07.40 – 22.40
Samstags	09.00 – 23.30 (jede 30 Minuten)	09.40 – 00.10
Sonntags	11.00 – 16.00 (jede Stunde)	11.40 – 16.40

Claudia: **Morgen wollen wir mit dem .... nach Köln fahren. Um wie viel Uhr können wir ....?**

Klaus: Wir wollen nicht zu früh fahren. Vielleicht um elf Uhr.

Claudia: **Nein, das ist zu .... . Wir sollen um zehn Uhr dreißig da sein und die Reise dauert vierzig Minuten. Also, wir müssen dann um halb .... fahren.**

Klaus: Ja, klar. Aber morgen ist .... . Wir können erst um elf Uhr fahren.

Claudia: **Ach ja, das stimmt. Dann morgen um elf.**

Sonntag, früh, acht, spät, fahren, Bus, neun, Zug, Samstag, zehn

Planning Your Holiday

Q1 Match up the German with the English.

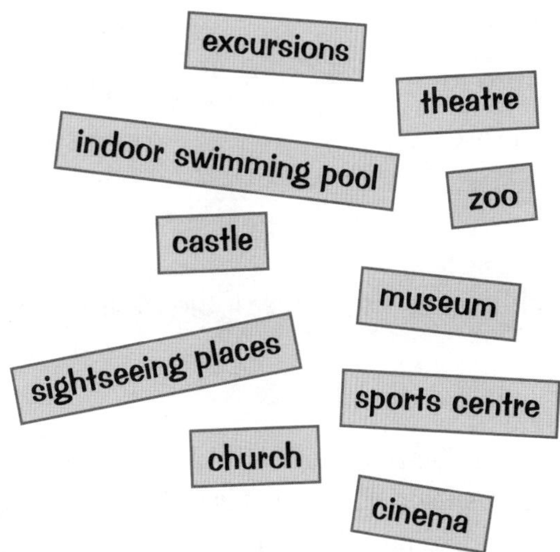

Q2 Read Helga's conversation about booking an excursion and answer the questions in English.

Helga: **Haben Sie Broschüren über Ausflüge von Heidelberg, bitte?**
Beamtin: Ja, natürlich. Was für einen Ausflug würden Sie gern machen?
Helga: **Ich möchte das Schloss besichtigen und die Ausstellungen sehen.**
Beamtin: Wir haben einen Ausflug mit dem Schiff am Fluss mit einem Besuch zum Schloss.
Helga: **Was kostet das, bitte?**
Beamtin: Es kostet fünfundzwanzig Euro pro Person.
Helga: **Ich möchte drei Karten, bitte, und um wie viel Uhr fährt das Schiff ab?**
Beamtin: Um halb elf vom Hafen. Das macht fünfundsiebzig Euro, bitte.

a) What does Helga ask for?
b) Where does Helga want to go?
c) What does the official offer her?
d) How much is each ticket?
e) What else does Helga want to know?
f) Where will the excursion leave from?
g) How much does she pay altogether?

Q3 How would you say in German:

a) Can you give me information about the gallery please?
b) When does the exhibition open?
c) I'd like to look around the museum.
d) This bus goes from the church.
e) The coach leaves at half past three.

Holiday Accommodation

Q1 Give the German for:

a) holiday
b) abroad
c) to reserve
d) to cost
e) double room
f) single room
g) room service
h) to leave
i) to stay
j) overnight stay

Remember to include der/die/das for nouns.

Q2 Match the requirements of the people below with a suitable hotel from these adverts.

Hotel A
Ein kleines Gasthaus auf dem Land mit Halbpension. Einzelzimmer mit Bad. Doppelzimmer mit Dusche. Parkplatz hinten.

Hotel B
Wir bieten preisgünstige Zimmer an. Übernachtung mit Frühstück. Einzelzimmer mit Waschbecken. Doppelzimmer.

Hotel C
Ein großes Luxushotel mit Garten und Schwimmbad. Stadtzentrum. Wir bieten nur Vollpension an. Doppelzimmer mit Balkon, Fernseher und Bad oder Dusche.

Hotel D
Großes Hotel am Stadtrand. Wir haben einen Speisesaal, einen Aufenthaltsraum und einen Aufzug. Alle Zimmer mit Balkon und Fernseher. Parkplatz unten.

a) Frau Braun reist allein und will ein Einzelzimmer, das nicht zu teuer ist. Sie will nur Frühstück.

Who needs hotels?

b) Herr und Frau Schmidt wollen Vollpension in einem Doppelzimmer mit Dusche und Fernseher.

c) Helga und Claudia machen eine Radtour und wollen ein kleines Hotel nicht in der Stadt und vielleicht mit Halbpension.

d) Die Familie Herz will etwas für die Kinder haben. Sie sind acht und elf Jahre alt. Sie fahren mit dem Auto und wollen nicht in der Stadtzentrum bleiben. Fernseher müssen sie haben.

Q3 Write a description, in German, for the campsite Altenender. Mention at least three of the following things:

- large campsite
- pitches cost 10 euros a night
- drinking water and showers are included
- restaurant, games room and swimming pool all on site
- tents and sleeping bags can be hired

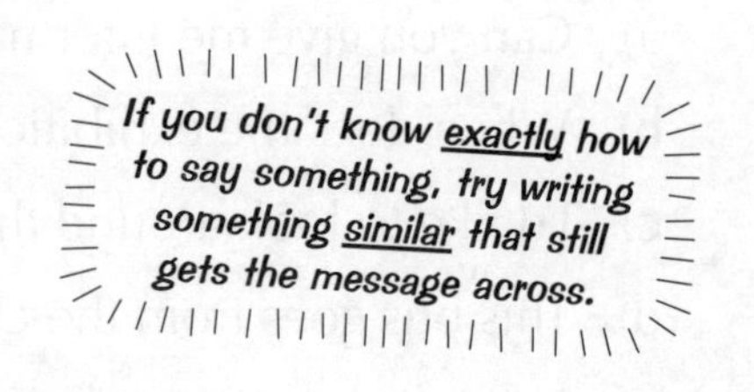

If you don't know exactly how to say something, try writing something similar that still gets the message across.

Booking a Room / Pitch

Q1 You're on holiday in Germany and looking for somewhere to stay. You see these signs. What do they mean in English?

In questions like these you don't need to translate the names of people and places.

a)

Frau Amsels Gasthaus
Übernachtung mit Frühstück
Kinder willkommen. Keine Haustiere.

b)

Willkommen am Campingplatz Blauwald
Plätze für 30 Zelte und 15 Wohnwagen

c)

Hotel Großberge
Vollpension und Halbpension
Zimmer mit Bad und Balkon

d)

BLAUWALD JUGENDHERBERGE
Nur 6 Euro pro Nacht!
Alle willkommen

Q2 How would you ask the following in German?

Remember to use the polite form of 'you'.

a) Do you have any rooms free?
b) Do you have a single room with a bath?
c) Do you have a double room with a balcony?
d) Do you have a pitch for four nights please?
e) Do you have a caravan with a shower?
f) Where can I get a sleeping bag?
g) Do you have drinking water here?
h) How much is it per night for one person?

Q3 Read this conversation and answer the questions in English.

Peter:	Kann man hier zelten?
Manager:	**Ja, gerne, wie lange wollen Sie bleiben?**
Peter:	Ich möchte einen Platz für zwei Nächte.
Manager:	**Haben Sie ein Zelt oder einen Wohnwagen?**
Peter:	Ich habe ein Zelt. Kann ich hier Feuer machen?
Manager:	**Sie können einen Platz haben, aber kein Feuer bitte. Wir haben ein Restaurant, wo man essen kann.**
Peter:	Gibt es hier Trinkwasser? Und was kostet es pro Nacht für eine Person?
Manager:	**Es gibt Trinkwasser hier in der Ecke und ein Platz kostet 7 Euro pro Nacht.**
Peter:	Danke. Ich nehme es.

a) What does Peter want to do?
b) How long does he want to stay?
c) Does he have a tent or a caravan?
d) What is Peter not allowed to do?
e) Can Peter drink the water?
f) Where can he eat?
g) How much will Peter pay in total for the pitch?

Where / When is...?

Q1 Write down the German for:

a) car park

b) play area

c) toilet

d) dining room

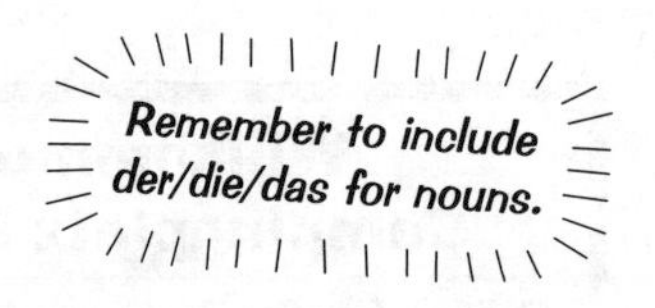

Remember to include der/die/das for nouns.

This is actually the play area sir.

Q2 Say where the following places are situated:

a) Das Hallenbad ist unten links.

b) Die Treppe ist am Ende des Ganges und rechts.

c) Der Aufzug ist hier links.

d) Das Doppelzimmer mit Balkon ist im dritten Stock.

e) Der Ballsaal ist oben rechts.

You don't necessarily need to understand all the words in these sentences — just the key bits telling you where things are.

Q3 The hotel receptionist only speaks German. How would you ask her the following questions?

When is breakfast served please?

Where is the dining room please?

When is the evening meal served please?

Where is the loo please?

Q4 You're in a hotel lobby eavesdropping on other people's conversations again. What are they saying?

a) "Das Spielzimmer ist oben links am Ende des Ganges."

b) "Der Parkplatz ist draußen rechts."

c) "Mein Zimmer ist im zweiten Stock."

d) "Das Klo ist im vierten Stock."

e) "Das Restaurant ist im Erdgeschoss."

Problems with Accommodation

Q1 Helga and Ralf are having a romantic weekend away in Dusseldorf. Sadly there are a few problems with their hotel room. Write out their conversation using the words in the box on the right to fill in the gaps.

Helga: Guck' mal, wir haben keine Seife im .... .
Ralf: Die Dusche .... nicht, das .... ist zu kalt.
Helga: Kannst du mit dem Hotelmanager ....?
Ralf: Leider nicht, das Telefon ist .... .
Helga: Ach du liebe Güte!

sprechen kaputt Badezimmer funktioniert Wasser

Q2 Give the German for:

a) The towels are dirty.
b) The air conditioning doesn't work.
c) The heating is broken.
d) The water is too cold.
e) The bed linen is dirty.
f) The TV doesn't work.
g) The radiator is broken.
h) This hotel is terrible.

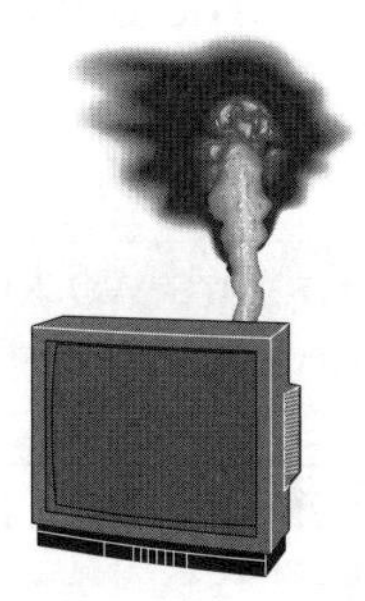

Q3 Read the letter and answer the questions on the right in English.

Köln, den 25.10.2009

Sehr geehrte Damen und Herren,

ich habe in Ihrem Hotel neulich übernachtet und muss mich leider über mein Zimmer beschweren. Es gab keine Handtücher im Badezimmer. Der Heizkörper war zu laut, so dass ich nicht schlafen konnte. Die Bettwäsche war schmutzig und lag noch im Bad. Mein Zimmer war im neunten Stock und der Aufzug war kaputt. Ich wollte Sie von dem Zimmer anrufen, aber konnte nicht, weil das Telefon nicht funktionierte. Leider konnte ich auch meinen Lieblingsfilm nicht sehen, weil der Fernseher kaputt war. Es war unglaublich!

Ich möchte mein Geld zurück haben. Ich werde nie wieder in Ihrem Hotel bleiben.

Hochachtungsvoll

Hans Schmidt

a) When did Hans stay in the hotel?
b) How long did he stay for?
c) Why is he writing the letter?
d) What was missing from the room?
e) Why couldn't he sleep?
f) What had he wanted to watch and why couldn't he?
g) Why was a broken lift so important?
h) What does Hans want from the hotel?

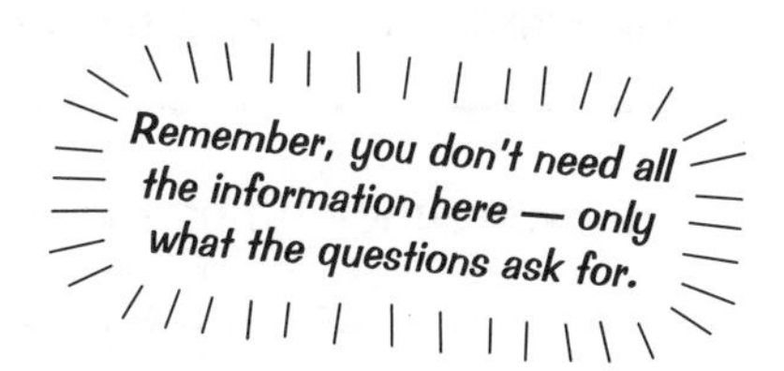

Remember, you don't need all the information here — only what the questions ask for.

At a Restaurant

Q1 You're in a restaurant. How would you say the following in German?

a) Waiter!
b) Waitress!
c) Where is the toilet please?
d) May I have the drinks menu please?
e) Do you have a menu of the day?
f) Do you have steak?
g) What does 'Sauerkraut' taste like?
h) The bill please.

Q2 You are working in a German café. Write down on your order pad what this family would like.

MUTTER:	**Ich hätte gern eine Tasse Kaffee mit Sahne und ein Stück Käsekuchen, bitte.**
VATER:	Ich möchte ein Zitroneneis und ein Bier, bitte.
HEIDI:	**Ich will Pommes und ein Glas Mineralwasser, bitte.**
PETER:	Kann ich Erdbeereis und Orangensaft haben, bitte?

Q3 Read this highly fascinating story about a trip to a restaurant, then answer the questions in English.

Letzten Donnerstag war mein Geburtstag. Meine Familie und ich, wir waren zu viert, wollten ins Restaurant gehen. Vati hat angerufen und einen Tisch auf der Terrasse im Restaurant Rudi reserviert. Wir sind um 19.00 pünktlich angekommen. Dann ging's schief. Es gab viele Leute schon da und keinen Tisch draußen mehr, wir mussten drinnen sitzen. Meine Schwester wollte Hähnchen mit Pommes essen und es war verbraten. Meine Suppe war zu salzig. Das Erdbeereis sah sehr gut aus, aber hat wie Seife geschmeckt. Wir haben natürlich kein Trinkgeld gelassen und werden bestimmt nie wieder in diesem Restaurant essen gehen.

a) Why were they going to the restaurant?
b) How many were in the party?
c) What arrangements did Dad make?
d) Where did they sit? Why?
e) What was wrong with the food?
f) What didn't they do as a result of all this?

At a Restaurant

Q1 **Give the English for:**

a) Ich bin nicht zufrieden.

b) Wir möchten drinnen sitzen.

c) Das Schweinefleisch ist nicht gar.

d) Die Vorspeise ist gut.

e) Es gibt viele Hauptgänge.

f) Die Bedienung ist inbegriffen.

g) Haben Sie einen Tisch frei?

h) Der Nachtisch schmeckt gut.

Q2 **You are in a restaurant with your family. Use the menu below to help you fill in your parts of the conversation in German.**

Speisekarte

Vorspeisen	Nachtische
Tagessuppe (Zwiebel)	Eis
Salat	Obst
Spätzle	Erdbeertorte
Hauptgerichte	Kaffee
Schnitzel	Käse
Steak mit Pommes	
Bratwurst	

A table for four? Right this way...

Kellner: Guten Abend meine Damen und Herren!

Du: **I'd like a table for four please.**

Kellner: Möchten Sie etwas trinken?

Du: **Yes, one lemonade, one orange juice and two glasses of red wine, please.**

Kellner: (ein bisschen später) Wollen Sie jetzt bestellen?

Du: **Yes. Two soups, one noodles and one salad.**
Then two steaks and two sausages please.

Kellner: Ja, sofort. Wollen Sie auch einen Nachtisch?

Du: **Yes please. What ice creams do you have?**

Kellner: Himbeere, Erdbeere, Zitrone und Vanille.

Du: **We would like two strawberry ice creams and two coffees please.**
Where is the toilet please?

Kellner: Hier links.

Du: **Thank you. That was excellent. May we pay please?**

Kellner: Ja, natürlich.

Talking About Your Holiday

Q1 Four people were asked where they went on holiday and what they did. Pretend you are Claudia, Michael and Marie. For each person, write three sentences (in German) giving all the information in the table.

Example for Bernd: *Ich war eine Woche lang mit meiner Familie im Urlaub. Wir sind mit dem Auto nach Spanien gefahren. Ich bin an den Strand gegangen.*

Make sure you use the past tense.

	Where did you go?	With whom?	How long for?	How did you get there?	What did you do?
Bernd	Spain	family	1 week	car	went to the beach
Claudia	Austria	sisters	10 days	coach	went skiing
Michael	Italy	friends	2 weeks	train	walked / swam
Marie	England	Mum and brother	week and a half	plane	visited sights

Q2 Read Jochen's account of his trip and answer the questions in English.

Letztes Jahr bin ich mit meiner Schule nach England gefahren. Es war ein Austausch mit einer Gesamtschule in Brighton. Es gab zwanzig Schüler in unserer Gruppe. Wir sind mit dem Reisebus gefahren. Die Reise hat mir gut gefallen. Wir sind zwei Wochen geblieben. Das Wetter war schön und es hat nicht geregnet. Wir haben bei englischen Familien gewohnt. Meine Familie und ich haben uns sehr gut verstanden.

Während meines Austausches habe ich die Schule meines englischen Freundes besucht. Die Schule hat mir nicht gefallen, weil die Schüler eine Uniform tragen müssen. Am Wochenende bin ich mit meiner englischen Familie an den Strand gegangen. Ich habe mich gesonnt und Tennis gespielt. Diesen Sommer wird mein englischer Freund nach Deutschland kommen, um mich und meine Familie zu besuchen.

a) When did Jochen go to England?
b) Who did he go with?
c) How did he get there?
d) Was he staying in a hotel?
e) How many pupils went to Brighton?
f) What did he think of the journey?
g) How long did they stay?
h) What was the weather like?
i) How did he get on with his host family?
j) What does he say about the English school?
k) What did he do at the weekend?
l) What is happening this summer?

That's your uniform?

You should see the girls.

Talking About Your Holiday

Q1 Read the holiday postcards below and answer the questions in German, using full sentences.

Lieber Kurt!

Für eine Woche bin ich in Spanien. Es ist wunderbar. Das Wetter ist sehr heiß. Jeden Tag gehe ich an den Strand und schwimme. Das Hotel ist fantastisch und hat ein Freibad und einen Aufenthaltsraum. Mein Zimmer hat einen Balkon.

Grüße!
Hans

Liebe Angelika!

Grüße aus den Niederlanden! Vor zwei Wochen bin ich mit meiner Familie mit dem Zug nach Holland gefahren. Wir haben die Sehenswürdigkeiten besichtigt und sind einkaufen gegangen. Heute regnet es, aber es ist nicht so kalt.

Tschüs!
Laura

Liebe Mutti! Lieber Vati!

Hallo aus Frankreich. Die Reise mit dem Reisebus hat uns sehr gut gefallen. Wir bleiben auf einem Campingplatz im Süden und haben schon viele Freunde gemacht. Gestern schien die Sonne und wir haben Tennis am Strand gespielt.

Bis bald, Sofia und Peter xxx

a) Where is Hans?
b) How did Laura get to Holland?
c) Where are Sofia and Peter staying?
d) What's the weather like in Spain?
e) What has Laura been up to?
f) What's the weather been like in France?
g) What's Hans' hotel like?
h) What have Sofia and Peter been doing?
i) What's the weather like in Holland?
j) What has Hans been doing?

Q2 Write a similar postcard of your own to a friend about your holiday in Wales. You should include the following:

- where you are
- who you're with
- what the weather's like
- what you've been up to

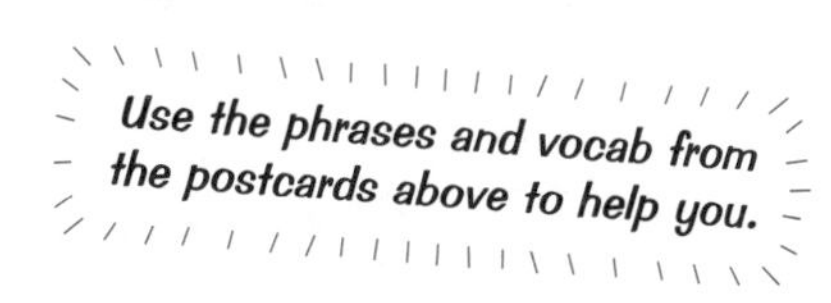

Use the phrases and vocab from the postcards above to help you.

This isn't Wales.

Talking About Your Holiday

Q1 Look at the people, places and types of transport listed below in English. For each one, write a sentence in the future tense about where they will go and how they will get there.

For the future tense, use 'werden' and the infinitive.

Q2 Write a short passage about where you are going on holiday this year. Remember to use the future tense. Make sure you include the following points:

- where you will go
- who you will go with
- how long you will stay
- where you will stay
- what you will do

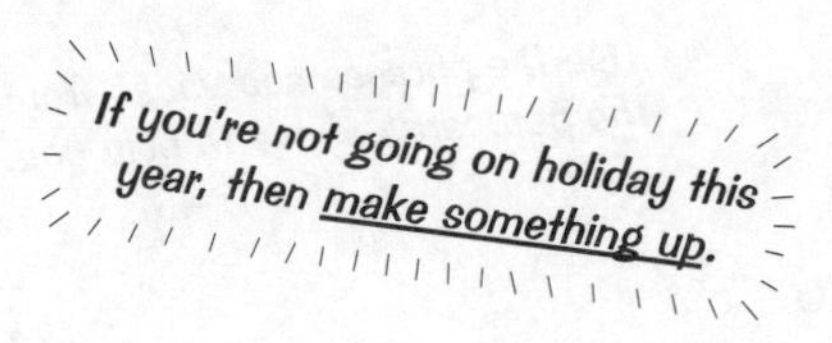

If you're not going on holiday this year, then make something up.

The Weather

Q1 Give the German for:

a) It's foggy.
b) It's rainy.
c) It's sunny.
d) It's hailing.
e) It's cloudy.
f) It's dry.
g) There's lightning.
h) It's thundering
i) It's snowing.
j) It's humid.

The weather's so changeable. I never know what to wear.
Mmm. Not that coat.

Q2 What do these sentences mean in English?

a) Gestern war es heiß.
b) Heute Abend hat es gehagelt.
c) Morgen wird es sonnig sein.
d) Nächste Woche wird es viel kälter werden.
e) Heute ist es im Süden bedeckt.
f) Heute ist es nebelig im Westen.
g) Vorgestern war es kalt im Norden.
h) Morgen wird es im Osten windig.
i) An der Küste wird es wärmer sein.
j) Gestern hat es geschneit.

Q3 Read the weather report and answer the questions below in English.

Der Wetterbericht für heute:

Heute Morgen wird es im Norden ziemlich kühl sein. Später wird es wärmer werden — mit Temperaturen bis 17 Grad. Im Westen ist es nass und heute Abend wird es ein bisschen windig sein. Im Osten hat es früher gehagelt, aber jetzt beginnt es zu regnen. Im Süden wird es wahrscheinlich heute Nachmittag bewölkt sein, aber zur Zeit ist es trocken.

a) What will the weather be like in the north this morning?
b) How will it change later?
c) What is the weather like in the west at the moment?
d) Where did it hail earlier?
e) Which areas have rain?
f) What will it be like in the south this afternoon?
g) Where is it dry at the moment?

Names of Buildings

Q1 Write out the English names for these buildings.

a) das Museum
b) die Post
c) die Bibliothek
d) das Rathaus
e) die Bank
f) das Kino
g) der Palast
h) die Tankstelle
i) die Eishalle
j) das Stadion
k) das Einkaufszentrum
l) der Bahnhof
m) die Polizeiwache
n) der Hafen

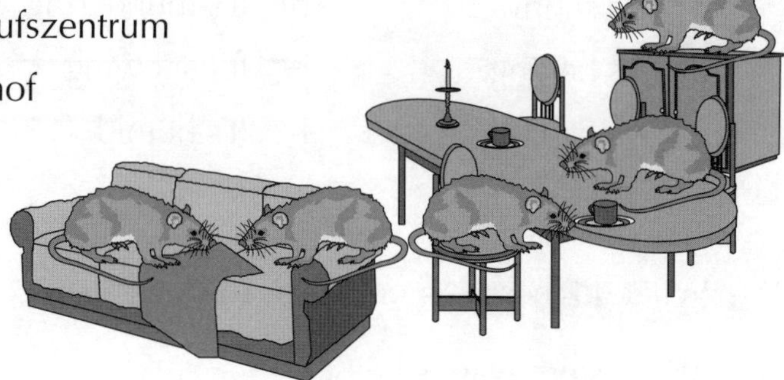

Q2 Translate these questions into German.

a) Is there a post office near here?

b) How far is it to the castle?

c) How do I get to the library, please?

d) What's the best way to the pharmacy, please?

e) Do I go right at the traffic lights?

f) Is the railway station over there?

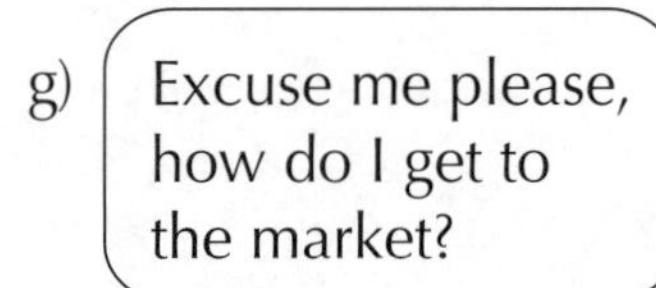

g) Excuse me please, how do I get to the market?

h) Where is a good restaurant, please?

i) Where are the baker's and the butcher's, please?

j) I'm looking for the youth hostel. How far is it, please?

Names of Buildings

Q1 Write out the German names for these buildings.

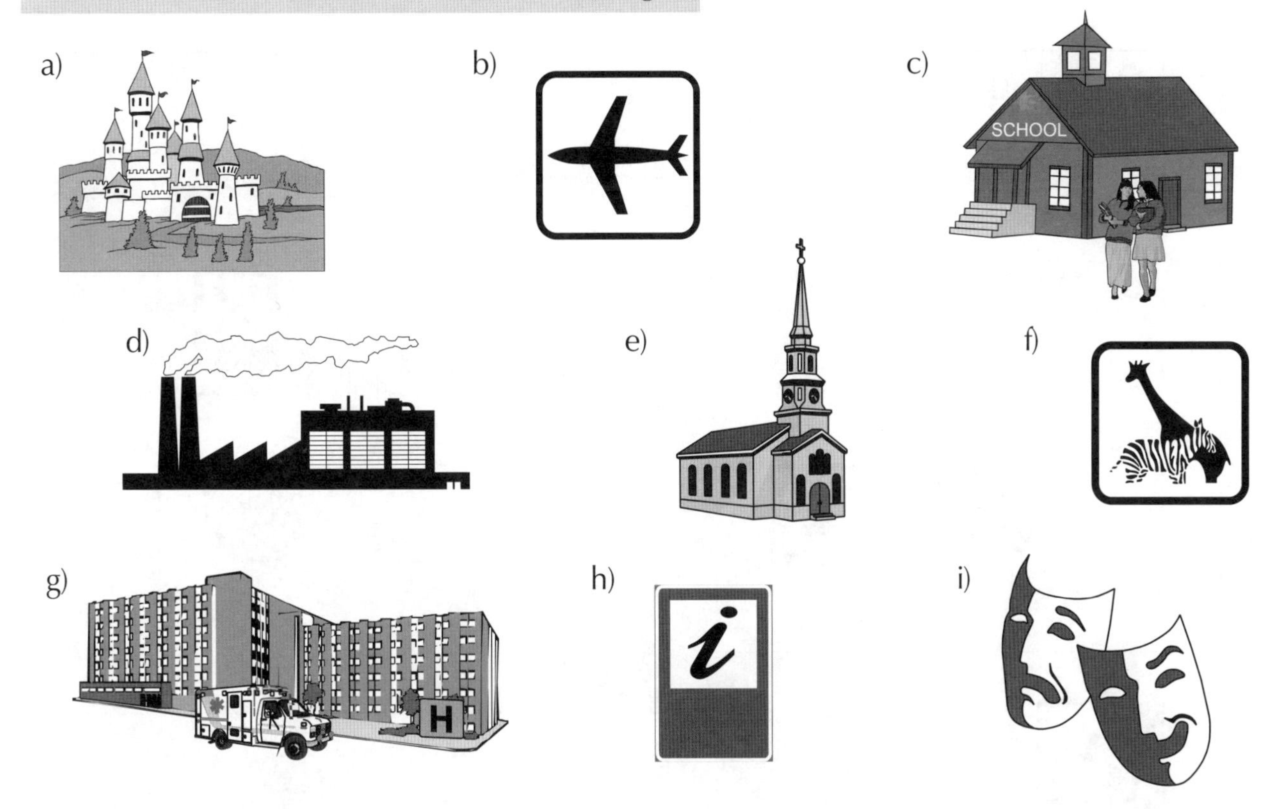

Q2 The picture below shows the top prize on the game show "Wer will einen Wohnwagen gewinnen?" Choose the right words from the prize to complete the sentences below.

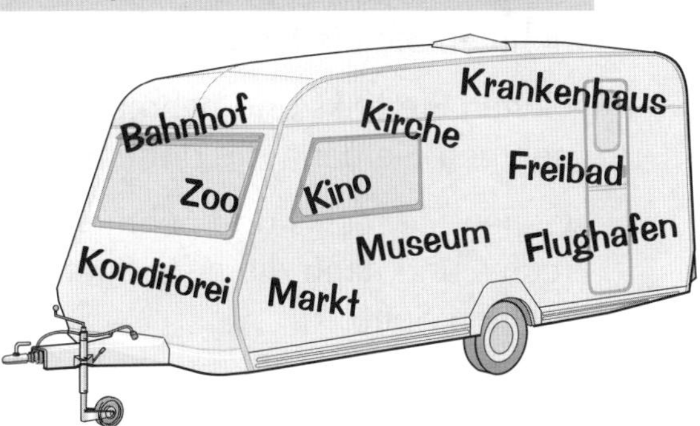

a) Ich gehe so oft wie möglich zum ...., weil ich Tiere gern mag.

b) Am Wochenende haben wir einen fantastischen Film im .... gesehen.

c) Mein Vater interessiert sich sehr für Geschichte, deshalb geht er oft ins .... .

d) Meine Schwester ist gestern zum .... gegangen, um mit dem Zug nach Berlin zu fahren.

e) Es gibt heute eine große Hochzeit in der .... .

f) Ich mag Supermärkte nicht, deshalb kaufe ich Gemüse lieber am .... .

g) Meine Oma trifft sich mit ihren Freundinnen jeden Mittwoch an der .... , um Kaffee und Kuchen zu genießen.

h) Meine Kusinen schwimmen wirklich gern im Freien. Wenn möglich gehen sie ins .... .

i) Mein Opa ist krank. Wir besuchen ihn jeden Tag im .... .

j) Im August fliegen wir nach den Vereinigten Staaten vom .... ab.

Asking Directions

Q1 Look at the map below. Follow the directions from the tourist information office on the map and write down where they lead to.

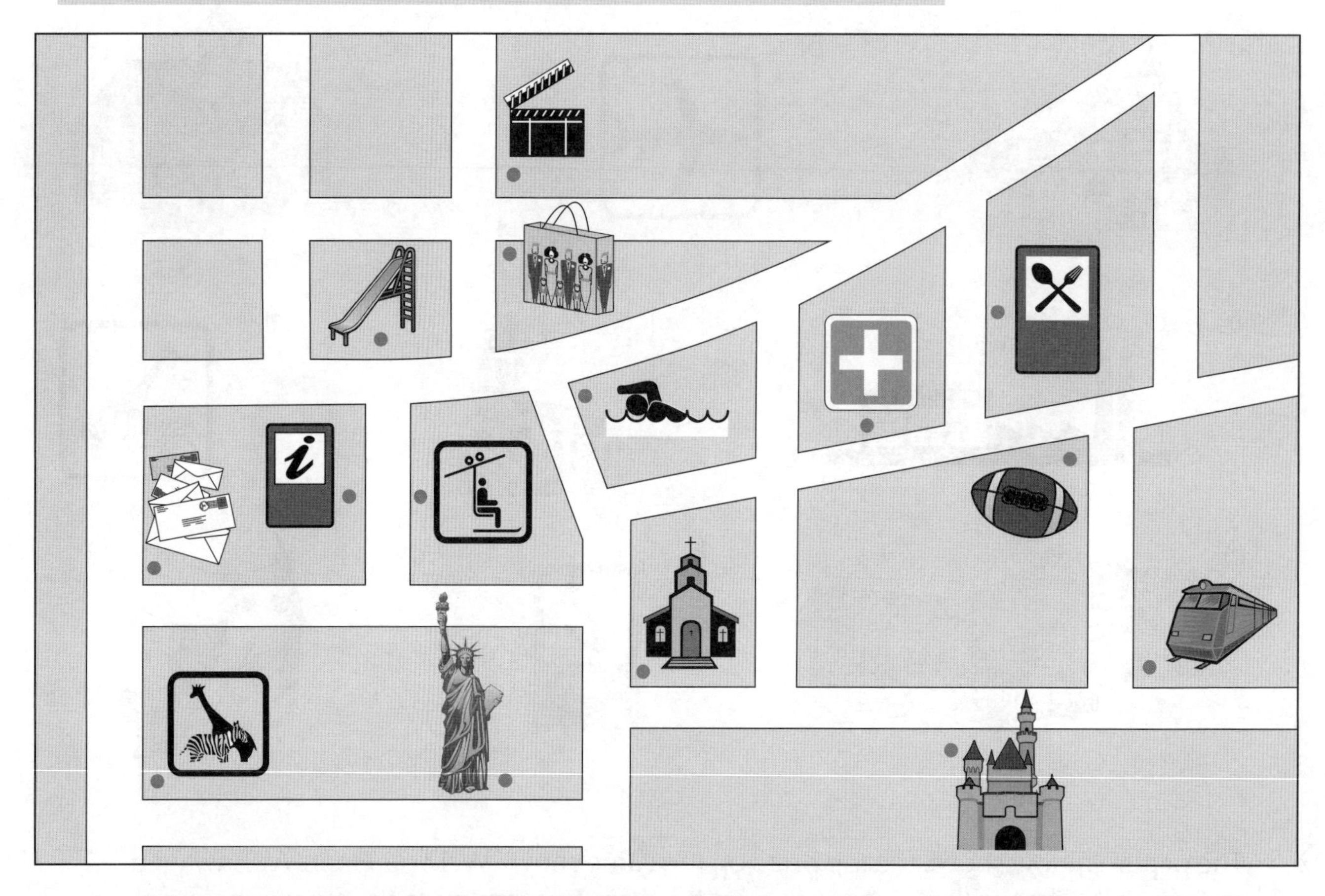

a) Gehen Sie rechts und nehmen Sie die Straße links. Gehen Sie dann Geradeaus, nehmen Sie die Straße rechts und sie ist an der Ecke.

b) Gehen Sie links und nehmen Sie die Straße rechts. Gehen Sie geradeaus und nehmen Sie dann die dritte Straße rechts. Es ist auf der linken Seite.

c) Gehen Sie rechts und nehmen Sie die Straße links. Nehmen Sie die erste Straße rechts und dann die erste Straße links. Gehen Sie geradeaus und es ist auf der rechten Seite.

Q2 Write out directions for the people asking the questions — always start from the tourist information office.

a) Wie komme ich zur Post, bitte?

b) Gibt es hier in der Nähe ein großes Kaufhaus?

c) Ich fahre heute Nachmittag nach Dortmund mit der Bahn. Wo ist der Bahnhof, bitte?

d) Wie komme ich zum Schwimmbad, bitte?

e) Unsere Kinder mögen Tiere sehr gern und möchten Elefanten und Tiger sehen. Wie kommen wir am besten zum Zoo, bitte?

Where You're From

Q1 Look at the map, then answer the questions giving the name of the town, which country it's in, whether it's in the north, south, east or west, and what the person's nationality is.

e.g. Scott wohnt in Liverpool in Westengland. Er ist Engländer.

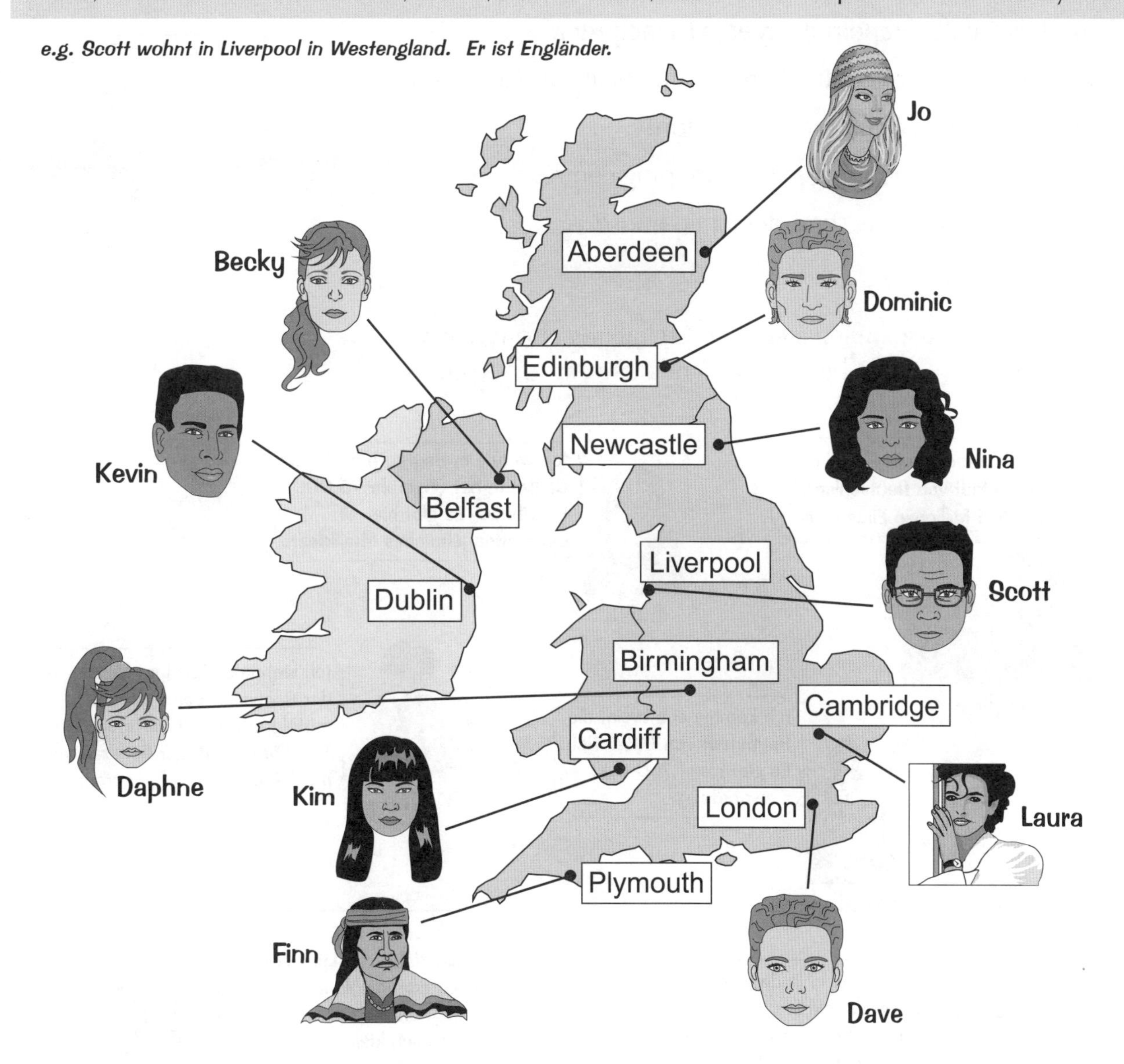

a) Wo wohnt Nina?
b) Wo wohnt Kevin?
c) Wo wohnt Laura?
d) Wo wohnt Finn?
e) Wo wohnt Dominic?
f) Wo wohnt Becky?
g) Wo wohnt Dave?
h) Wo wohnt Jo?
i) Wo wohnt Kim?
j) Wo wohnt Daphne?
k) Wo wohnst du?

Q2 Write 100 words about the town you live in. Mention the following:

- whether you like living in your town or not and why.
- where you would like to live instead and why.
- what there is to see and do in your town.
- where in the country your town is.
- whether it's in the city or countryside.
- which big cities your town is near.

Talking About Where You Live

Q1 Translate these sentences into German.

a) I live at 28 Grapefruit Street in Manchester.

b) Near the town centre there is a university and a cathedral.

c) Our house is near the train station.

d) I like to go shopping in the shopping centre.

e) We live in a new semi-detached house.

Q2 Some German-speaking teenagers are talking about where they're from. Read what they say and answer the questions.

Ich komme aus Berlin, die Haupstadt von Deutschland mit 3,5 Millionen Einwohnern.

Nadine

Ich wohne in Bayreuth in Bayern. Bayreuth hat ungefähr 75 000 Einwihner. Es gibt hier ein berühmtes jährliches Musikfest.

Luisa

Ich wohne in Basel im Norden von der Schweiz. Basel ist eine mittelgroße Stadt mit etwa 166 000 Einwohnern. Roger Federer wurde in der Nähe von Basel geboren.

Melina

Ich komme aus Wein, die Haupstadt von Österreich. Es gibt hier 1 700 000 Einwohner.

Dominik

Ich wohne in Travemünde in der Nähe von Lübeck in Norddeutschland. Travemünde liegt an der Ostsee und ist ein ziemlich kleiner Ort, aber im Sommer kommen tausende von Urlauben hier.

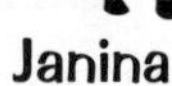

Janina

Ich wohne in Baden-Baden im Schwarzwald in Südwestdeutschland. Sie ist eine ziemlich kleine Stadt und sehr hübsch. Viele Leute kommen nach Baden-Baden, um die römische Bäder zu besuchen.

Andreas

a) Which city and country does Nadine come from? What two things does she say about it?

b) Which city and area does Luisa come from? What's its claim to fame?

c) Which city and country does Dominik come from? What two things does he say about it?

d) Which town and country does Janina come from and why does the population increase so much in summer?

e) Which city and country does Melina come from? How many inhabitants does it have?

f) Which town and country does Andreas come from, how big is it and why do many people visit the town?

Talking About Where You Live

Q1 Match up these pictures of different homes with the correct descriptions.

1 

2 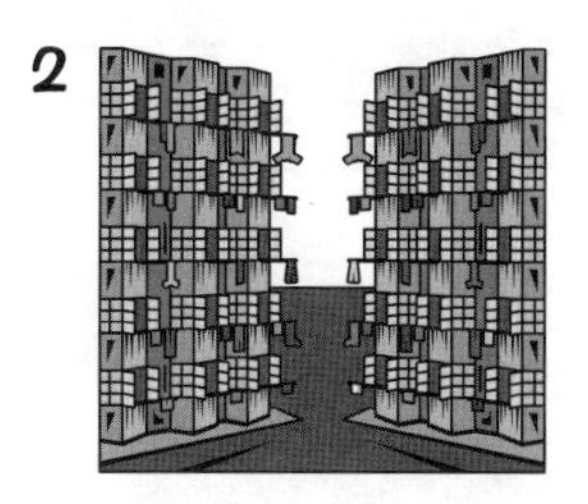

3 

4 

a) Ich wohne in einer neuen Wohnung im zweiten Stock.

b) Wenn ich älter bin, möchte ich in einem großen modernen Einfamilienhaus wohnen.

c) Zwei von meinen Schulfreundinnen wohnen nebeneinander in einem Doppelhaus.

d) Meine Oma und mein Opa wohnen in einem kleinen alten Haus.

Q2 Read the following article from a tourist leaflet and decide whether the statements are true (T) or false (F). Then correct the sentences that are false.

NOTTINGHAM: HIER WOHNTE DER BERÜHMTE ROBIN HOOD!

Nottingham ist eine schöne Großstadt in Mittelengland, die ungefähr 190 Kilometer von London entfernt liegt. Der Fluss Trent fließt durch die Stadt und die Landschaft um die Stadt herum ist sehr schön, aber man ist hier weit von der See entfernt.

Nottingham ist äußerst lebendig — es gibt fantastische Einkaufsmöglichkeiten, viele Restaurants, Bars, Theater, Galerien und Museen, Kinos, ein Eisstadion, Kegelbahnen, einen großen Cricketplatz und zwei Fußballmannschaften.
Man langweilt sich nie in dieser Stadt!

Viele Touristen kommen hierher, weil sie die Geschichte von Robin Hood kennen — man kann den Sherwood Forest besuchen, wo Robin Hood und seine Freunde gewohnt haben.

Nottingham ist eine wunderschöne Stadt!

a) Nottingham liegt in Nordwestschottland.

b) Nottingham liegt am Meer.

c) Man kann in Nottingham gut einkaufen.

d) Es gibt viele Sportmöglichkeiten in Nottingham.

e) Es gibt in Nottingham immer viel zu tun.

f) Robin Hood ist in der Gegend von Nottingham sehr berühmt.

g) Robin Hood und seine Freunde haben in der Stadtmitte gewohnt.

h) Nottingham hat viele Sehenswürdigkeiten.

Inside Your Home

Q1 Look at the pictures and decide whether the sentences are true (T) or false (F).
Then correct the sentences that are false.

The dining room

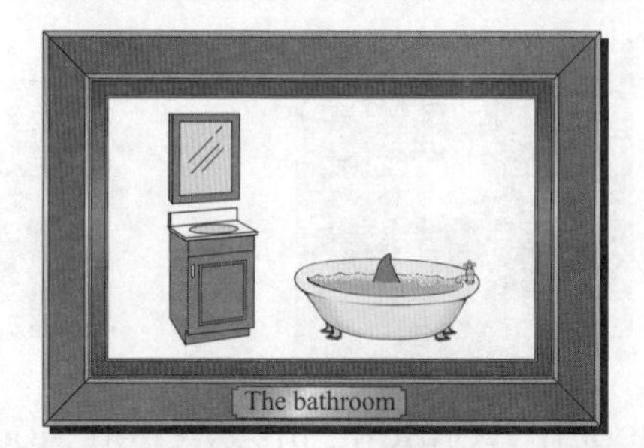
The bathroom

The kitchen

The bedroom

The living room

a) Es gibt einen Tisch und sechs Stühle im Esszimmer.
b) Es gibt fünf Schränke in der Küche.
c) Es gibt einen Kleiderschrank und zwei Betten im Schlafzimmer.
d) Es gibt ein Sofa und drei Sessel im Wohnzimmer.
e) Es gibt ein Bad und eine Dusche im Badezimmer.

Q2 Read the following description of your pen friend's house, then answer the questions.

> Hallo! Wie geht's? Ich wohne in einem Einfamilienhaus. Es hat eine schöne Küche mit vielen modernen elektrischen Geräten. Die Küche ist unten zwischen dem Wohnzimmer und dem Esszimmer.
>
> Im Esszimmer gibt es einen ziemlich großen alten Tisch, wo wir sitzen, um unser Abendessen zu essen. Im Wohnzimmer gibt es ein bequemes Sofa, einen Fernseher und viele Bücherregale. Wir haben viele Fotos von der Familie an den Wänden.
>
> Oben gibt es ein Badezimmer und vier Schlafzimmer. Mein Schlafzimmer ist nicht besonders groß — eigentlich winzig! — aber ich liebe es. Ich habe ein Bett, einen Computer, einen Tisch, wo ich meine Hausaufgaben mache und einen Kleiderschrank. Die Vorhänge sind hellblau und der Teppich ist dunkelblau. Es gibt auch ein Schlafzimmer für meine Eltern und eins für meinen kleinen Bruder. Das andere Schlafzimmer ist für Gäste — wie du!
>
> Wie ist dein Haus und wie sehen die Zimmer aus? Viele Grüße, deine Bettina.

a) What sort of house does Bettina live in?
b) Where is the kitchen?
c) What does she say there is in the kitchen?
d) Where do they watch television?
e) Where can you see family photos?
f) How big is Bettina's bedroom?
g) What colour is her bedroom?
h) Who is the fourth bedroom for?

Q3 Write a reply to Bettina describing your house.

Celebrations

Q1 Match these descriptions to the correct festival in the box.

a) Wir haben einen Weihnachtsbaum, geben Geschenke und senden Weihnachtskarten.

b) Wir haben Feuerwerk um Mitternacht.

c) Wir suchen Schokoladeneier im Garten.

d) Meine Familie und meine Freunde geben mir Geschenke und Karten.

e) Die Kinder hängen ihre Strümpfe am Ende des Betts auf.

Q2 Write an e-mail to your German friend about your birthday.

Try to write about 100-150 words, and include information about:

- the date you celebrated your birthday
- who you celebrated with
- where you had your celebration meal
- how you celebrated
- how many cards you received
- some of the presents you were given.

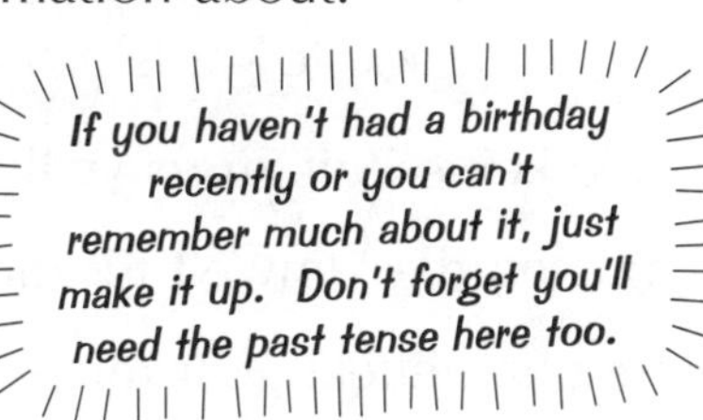

If you haven't had a birthday recently or you can't remember much about it, just make it up. Don't forget you'll need the past tense here too.

Q3 Read the following passage about the German Karneval festival and answer the questions.

Karneval ist ein sehr wichtiges deutsches Fest. Es findet im Allgemeinen im Februar statt, aber das Feiern fängt oft viel früher an — es hängt davon ab, in welchem Teil von Deutschland man wohnt. Die Vorbereitungen beginnen sogar im November. In der Gegend um Köln herum nennt man diese Zeit auch "die fünfte Jahreszeit". In Süddeutschland nennt man das Fest "Fasching". Rosenmontag ist der Höhepunkt der Festzeit und besonders im Rheinland feiert man wie verrückt! In Köln gibt es große Umzüge* mit Singen, Tanzen und fast anderthalb Millionen Zuschauer. Man isst und trinkt auch so viel wie möglich vor der Fastenzeit*! Es macht sehr viel Spaß!

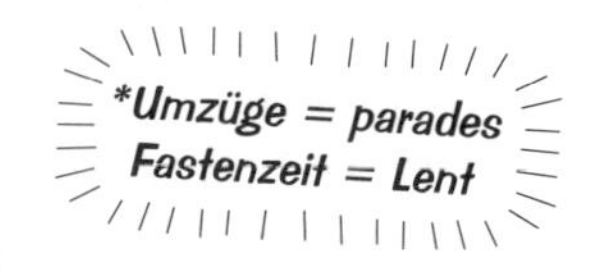

a) When does Karneval usually take place?
b) How early do the Karneval preparations start?
c) What does the start date of the festivities depend on?
d) What is another name for Karneval in the area around Cologne?
e) What is Karneval called in South Germany?
f) Which day is the high point of the festival?
g) In which area of Germany do they celebrate especially hard?
h) What happens at the parades in Cologne?
i) What does the writer say people do before Lent?

Q4 Write 100 words about any festival that is celebrated in the UK.

The Environment

Q1 Match these German words and phrases to the correct English translations.

a) das Benzin
b) die Kohle
c) die Mülltonne
d) die Spraydose
e) öffentliche Verkehrsmittel
f) die Ozonschicht
g) der Sauerstoff
h) das Kraftwerk
i) ultraviolette Strahlen
j) überbevölkert

public transport	ozone layer	dustbin	coal	UV rays
power station	oxygen	overpopulated	petrol	aerosol can

Q2 Some German teenagers have written sentences about the environment. Decide whether each person's attitude towards protecting the environment is positive (P) or negative (N).

a) Ich habe keine Zeit zu recyceln.
b) Wir müssen die Umwelt für die zukünftigen Generationen schützen.
c) Der Treibhauseffekt geht mich nichts an.
d) Man sollte öfter mit dem Rad fahren oder zu Fuß gehen.
e) Man muss weniger Verschmutzung verursachen.
f) Ich bin faul — mein Auto ist weniger anstrengend als zu Fuß gehen.
g) Man sollte mehr recyceln.

Q3 Read this article about the environment, then answer the questions.

Ist die Umwelt wichtig für Sie?

Wissenschaftler sagen, dass wir dringend unsere Welt retten müssen. Haben sie recht? Es kommt darauf an, für wie wichtig man die Umwelt hält.

Ich glaube, dass der Treibhauseffekt und das Ozonloch unseren Planet gefährden. Es gibt zu viel Wasser- und Luftverschmutzung. Man zerstört zu schnell die Regenwälder der Welt durch Abholzung. Wir gebrauchen zu viele chemische Pestizide und Insektizide, die der Umwelt schaden. Es gibt zu viel Verbrauch, der zu viel Müll produziert. Saurer Regen und Abgase zerstören unsere Wälder. Sind wir eigentlich zu faul und zu egoistisch, um unsere schöne Erde zu schützen?

Entscheiden Sie sich vorsichtig — die Zukunft der Welt könnte davon abhängen!

a) What does the title of the article ask?
b) Name two things the writer believes are endangering our planet.
c) Which two types of pollution are mentioned?
d) How does the article say that deforestation affects the environment?
e) What does the article say leads to too much rubbish being produced?
f) Why does the writer say that we perhaps do not protect our earth well enough?

The Environment

Q1 Here are some more sentences about the environment. This time, match up the beginning of each sentence with the ending that makes most sense.

a) Die Natur ist todlangweilig — ich interessiere mich...
b) Die Umwelt geht mich nichts an, weil...
c) Wir sollten mit...
d) Ich halte die Umwelt für...
e) Wir müssen die Umwelt schützen oder...
f) Gase wie Schwefeldioxyd...
g) Wir sollten unser...

1) ...gar nicht dafür.
2) ...Altpapier und unsere Verpackung recyceln.
3) ...total wichtig.
4) ...ich zu beschäftigt bin.
5) ...öffentlichen Verkehrsmitteln fahren.
6) ....unsere Kinder werden leiden.
7) ...macht saurer Regen.

Q2 Read this passage about what Hermann, a German teenager, does to be environmentally friendly, then answer the questions.

Für mich ist die Umwelt sehr wichtig, weil unsere Welt so schön ist. Wir haben die Verantwortung, sie zu schützen. Persönlich recycle ich unser ganzes Altpapier und unsere Verpackung. Ich nehme alles zum Altpapiercontainer und ich finde, dass alle so etwas machen sollten. Es ist nicht schwer und wenn jeder das machte, würde es sehr behilflich sein. Auch nehme ich all das Altglas zum Container. Ich kaufe nur organisches Essen ohne Pestizide oder Insektizide, obgleich es ziemlich teuer ist. So oft wie möglich fahre ich mit dem Rad oder gehe einfach zu Fuß, anstatt mit dem Auto zu fahren.

Zu Hause benutzen wir wenige fossile Brennstoffe und schalten die Lichter und anderen elektrischen Geräte aus, wenn wir das Zimmer verlassen. Wir duschen uns anstatt zu baden, um Wasser zu sparen. Ich glaube, dass jeder alles Mögliche machen sollte, um Energie zu sparen.

a) Why does Hermann consider the environment to be so important?
b) What responsibility does Hermann say we have towards the environment?
c) Where does Hermann take his waste paper and packaging?
d) What else does he take there?
e) How does Hermann help the environment when he shops for food?
f) How does Hermann get around rather than driving?
g) What two measures does he take at home to save energy?
h) How does Hermann save water?

Q3 Write 100 words about what you do to help the environment and why. Try to include as many ways of being environmentally friendly as possible.

School Subjects

Q1 Give the German for the following subjects:

a) history
b) geography
c) religious studies
d) PE
e) maths
f) ICT
g) theatre studies
h) French
i) German
j) media studies
k) Spanish
l) art
m) music
n) science
o) English
p) social sciences

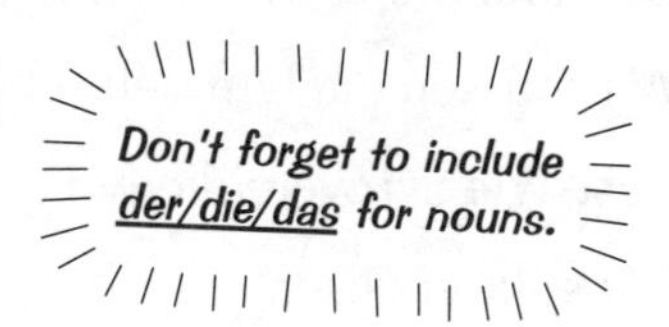

Q2 What do these sentences mean?

a) "Ich mag Chemie, weil sie interessant ist."

b) "Ich mag nicht Physik, weil sie schwierig ist."

c) "Was ist dein Lieblingsfach?"

d) "Biologie ist mein Lieblingsfach."

e) "Kunst gefällt mir mehr, weil der Lehrer gut ist."

f) "Ich hasse Hauswirtschaftslehre, weil ich den Lehrer nicht mag."

g) "Ich mag Informatik nicht, weil ich eine Doppelstunde habe."

h) "Ich hasse Mathe, weil sie nicht interessant ist."

Q3 Translate these sentences into German.

a) I like English, because I like to read.
b) I prefer geography.
c) Philosophy is my favourite subject.
d) What school subjects do you do?
e) I hate history, because it is boring.
f) I like theatre studies, because the teacher is funny.
g) I don't like Italian, because the classroom is cold.
h) I don't like Wednesdays, because I have German and biology.

The problem with history is, it's just so boring...

The School Routine

Q1 Look at the list of names and modes of transport below.
Write a sentence in German saying how each person gets to school.

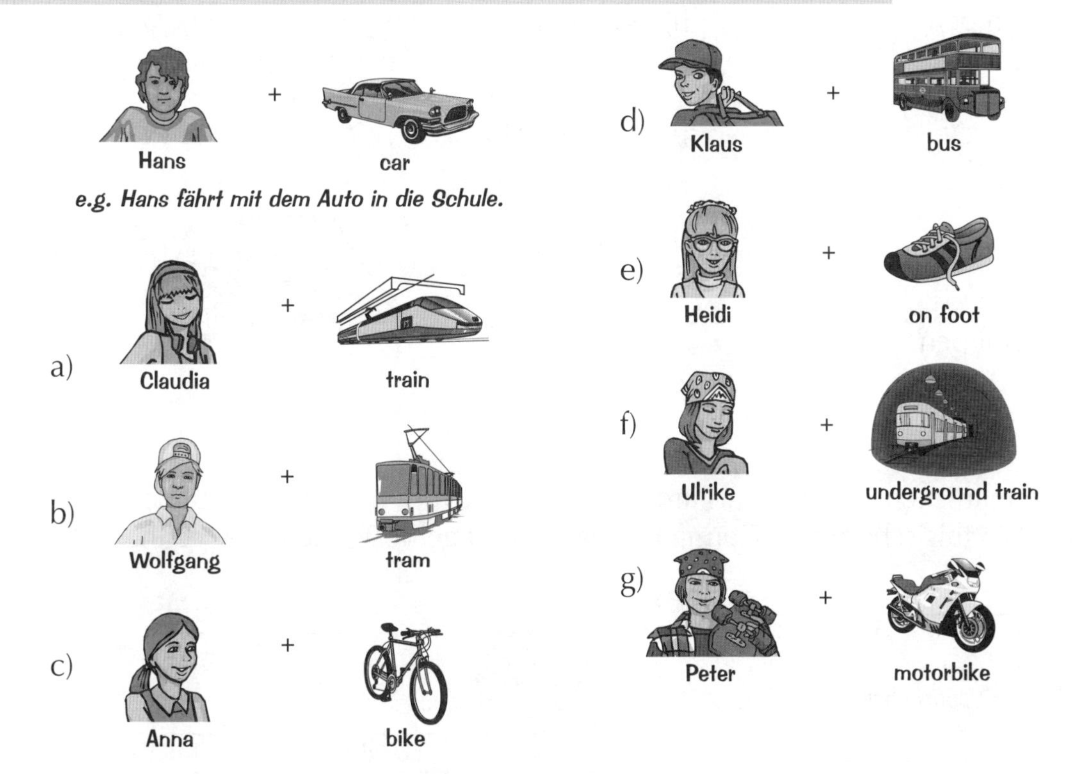

Q2 Read this passage about Peter's day and answer the questions in English:

a) What time does Peter go to school?
b) How does he get there?
c) How long does the journey take?
d) What time do lessons start?
e) How many lessons does he have per day?
f) How long does one lesson last?
g) What time is break?
h) How long is the lunch break?
i) What does he often have in the afternoons?
j) How much homework does he normally get?

> Ich gehe um sieben Uhr vierzig zur Schule. Ich fahre mit dem Bus. Die Reise dauert nur fünfzehn Minuten. Die Stunden fangen um halb neun an. Wir haben sechs Stunden pro Tag. Jede Stunde dauert fünfundvierzig Minuten. Um elf haben wir Pause. Von eins bis zwei haben wir die Mittagspause. Nachmittags haben wir oft Sport und Musik. Abends haben wir normalerweise zwei Stunden Hausaufgaben.

Q3 Write some sentences in German about your school routine. Use the passage in question 2 to help you, but also include a sentence about your school holidays.

More School Stuff

Q1 Give the German for the following:

a) fountain pen
b) pencil
c) ruler
d) rubber
e) school book
f) sharpener
g) ballpoint pen
h) scissors
i) chalk
j) writing pad
k) exercise book
l) felt-tip pen
m) calculator

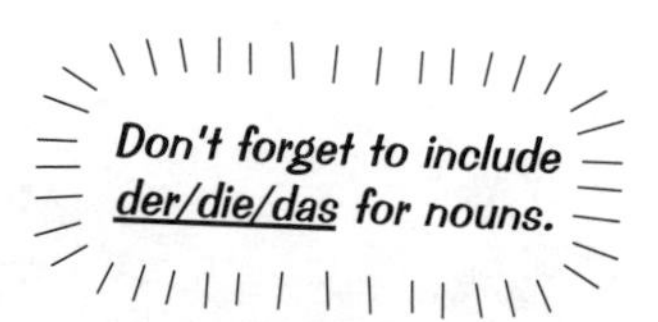

Don't forget to include der/die/das for nouns.

Q2 Some German exchange students are on their way over. Translate the names of the rooms in this school into German so they won't get lost when they get here.

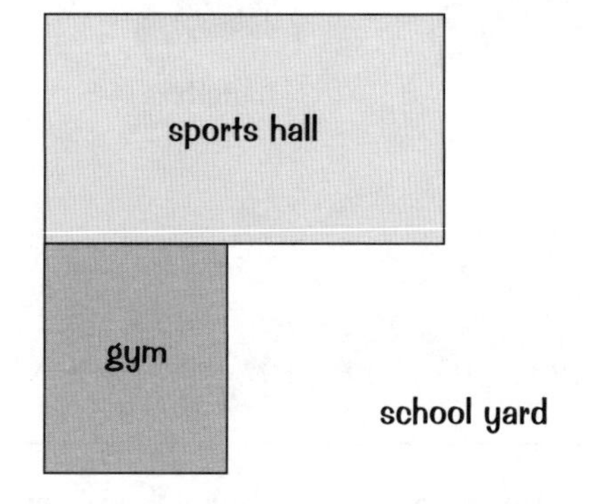

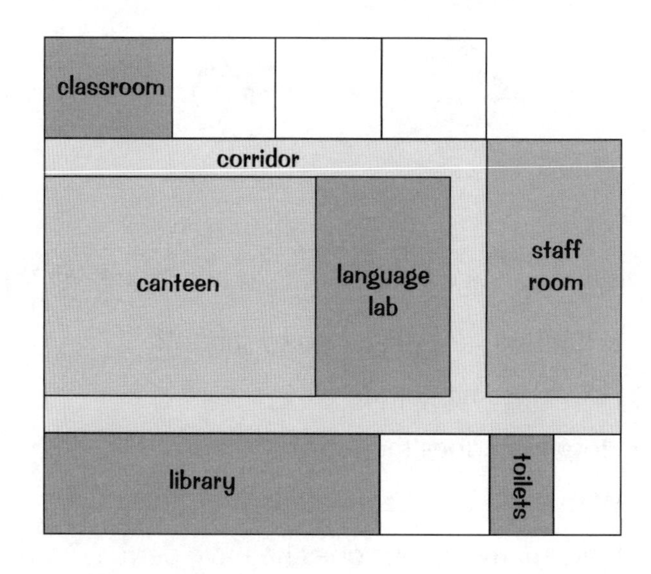

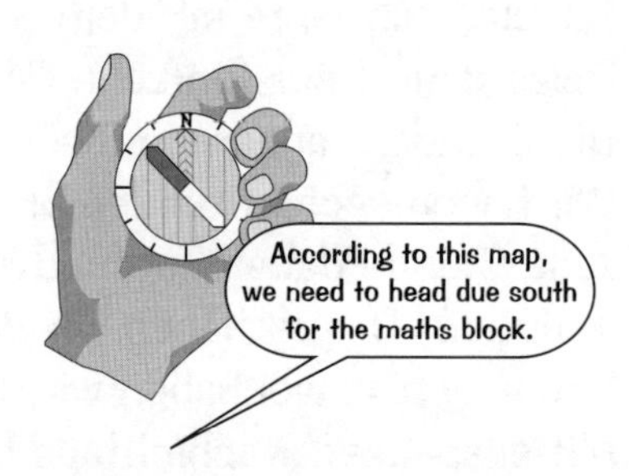

According to this map, we need to head due south for the maths block.

Q3 Translate the following phrases into English:

a) Wie buchstabiert man das?
b) Das ist falsch.
c) Wie spricht man das aus?
d) Ich verstehe nicht.
e) Wie sagt man das auf Deutsch?
f) Ist das richtig?
g) Können Sie das bitte wiederholen?
h) Was bedeutet das, bitte?
i) Kannst du dieses Wort erklären?
j) Verstehst du?

More School Stuff

Q1 Read the e-mail, then answer the questions in English.

> Hallo Anna!
>
> Wie geht's? Wie lange lernst du schon Deutsch? Ich lerne seit sechs Jahren Englisch. Meine Noten sind befriedigend. Ich besuche ein Gymnasium. Unsere Regeln sind streng. Was für eine Schule besuchst du? Trägst du eine Uniform? Kannst du mir sagen, was du trägst? Ich bin froh, dass wir keine Uniform tragen. Leider habe ich jeden Tag zwei Stunden Hausaufgaben. Und du? Hast du Aktivitäten außerhalb des Stundenplans? Ich treibe viel Sport und bin Mitglied einer Theatergruppe.
>
> Tschüs
> Marie

a) How long has Marie been learning English?
b) What are her grades like?
c) What kind of school does she go to?
d) What does she say about her school?
e) How does she feel about school uniform?
f) How much homework does she have?
g) What extra-curricular activities does she do?

Q2 Write a reply (in German) to the e-mail above.
Make sure you answer the questions asked by Marie.

Q3 Read the following and answer the questions in English:

Hans:	Dieses Jahr sind meine Noten ziemlich gut, besonders in Englisch. Ich habe eine 2 bekommen.
Peter:	**Meine Noten sind ausreichend in Englisch, Erdkunde und Wissenschaften — ich habe eine 4 bekommen — mangelhaft in Geschichte und ungenügend in Mathe. Das ist nicht so gut.**
Claudia:	Ich bin ganz froh. Dieses Jahr sind meine Noten besser — 2 in Mathe, 3 in Englisch und 4 in Wissenschaften. Ich habe viele Hausaufgaben in Mathe gemacht.
Helga:	**Na ja, ich will Ärztin werden und muss viel arbeiten. Ich habe nur 2 in Wissenschaften bekommen. Meine Eltern werden nicht sehr froh sein.**

a) How does Hans feel about his results?
b) What did he do particularly well in?
c) What did Peter get in geography?
d) Which subject was he 'unsatisfactory' in?
e) How does he feel about that?
f) How does Claudia feel about her results?
g) Which was her best subject?
h) Does she suggest any reason for this?
i) What job does Helga want to do?
j) How does she think her parents will feel?

Problems at School

Q1 Read these letters, then match up the problems below with the right letter.

A

Liebe Tante Eva!

Es geht mir nicht so gut in der Schule. Ich habe einige Probleme. Ich habe ein bisschen Angst um meine Prüfungen. Es gibt einen Leistungsdruck und ich will nicht durchfallen. Meine Freunde haben diese Probleme nicht. Was soll ich machen?

Maria

B

Liebe Tante Eva!

Meine Eltern sind sehr streng. Ich muss schwer studieren und kann nicht mit meinen Freunden ausgehen, weil ich zu viel Hausaufgaben habe. Ich arbeite schwer, aber es ist nicht genug für meine Eltern. Ich will nicht durchfallen aber ich will auch Zeit mit meinen Freunden haben. Was denken Sie?

Brigitte

C

Liebe Tante Eva!

Es geht mir ziemlich schlecht in der Schule. Ein paar Leute sind gemein zu mir, weil ich eine Brille trage und auch nicht so gut im Sport bin. Es macht mir ganz unglücklich. Was sollte ich machen?

Peter

I'll do my homework later, Mum.
It's important I don't get stressed.

a) My parents are very strict.
b) It makes me quite unhappy.
c) I'm worried about my exams.
d) I have too much homework and can't go out with my friends.
e) There's a pressure to do well.
f) People are mean to me because I wear glasses and am not so good at sport.
g) My friends don't have these problems.
h) I don't want to fail, but I also want to spend time with my friends.
i) I work hard, but it's never enough for my parents.

Q2 Write a letter to a problem page in German. You should include the following:

- Say that you have a few problems at school and that it's not going well.
- Explain that you're a bit worried about your grades.
- Say that your parents are not that strict, but that school can be very stressful.
- Say that there's a pressure to do well.
- Explain that you sometimes find the work quite difficult, especially history and French.

Work Experience and Plans for the Future

Q1 Identify the following sentences about work experience as positive (P) or negative (N).

a) Die Arbeit hat mir gefallen.

b) Meine Mitarbeiter waren sympathisch.

c) Es war ziemlich stressig.

d) Meine Kollegen waren langweilig.

e) Ich war ein bisschen einsam.

f) Die Arbeit war interessant.

Q2 Write out the following passage again and complete the gaps using the words below.

Ich habe das Betriebspraktikum bei .... gemacht. Ich habe anderthalb .... dort gearbeitet. Die Arbeit hat .... gemacht. Ich .... mich zu Hause. Meine Mitarbeiter waren sehr .... Ich möchte später einen .... haben, wo ich mit Autos arbeite.

fühlte	**Beruf**	**Audi**	**Spaß**	**Wochen**	**freundlich**

Q3 Now write a few sentences of your own in German about a real or imaginary work experience, based on the account above. Include:

- where you did your work experience
- how long you did it for
- what the work was like
- how you felt
- how you found your work colleagues

Q4 Read the following and answer the questions in English.

Klaus:	Nächstes Jahr möchte ich das Abitur machen, weil ich später auf die Universität gehen will.
Helga:	**Ich möchte ein Jahr freinehmen, weil ich ins Ausland fahren möchte.**
Peter:	Ich möchte Lehrer werden und ich will Geografie studieren.
Heidi:	**Nächstes Jahr möchte ich Musik studieren, weil ich später Musikerin in einer Band werden will.**
Claudia:	Ich möchte Ärztin werden, weil der Job interessant wäre.

a) What does Klaus want to do next year? Why?

b) What is Helga going to do? Why?

c) What does Peter want to become and what will he study?

d) Why does Heidi want to study music?

e) What job does Claudia want to do? Why?

Types of Job

Q1 **Match up the names of jobs in German and English.**

a) Sekretärin	g) Kaufmann
b) Dolmetscher	h) Architektin
c) Zahnarzt	i) Schriftsteller
d) Ärztin	j) Soldat
e) Krankenpfleger	k) Lehrer
f) Geschäftsfrau	l) Friseur

1) nurse	7) interpreter
2) architect	8) dentist
3) soldier	9) businessman
4) teacher	10) secretary
5) hairdresser	11) writer
6) businesswoman	12) doctor

Q2 **What are the German names for these jobs?**

a) air stewardess
b) pharmacist (male)
c) painter (male)
d) civil servant (female)
e) TV presenter (male)
f) vet (male)
g) electrician (female)
h) plumber (male)
i) butcher (male)
j) lawyer (female)
k) farmer (female)
l) policewoman

Q3 **Translate the following sentences into German:**

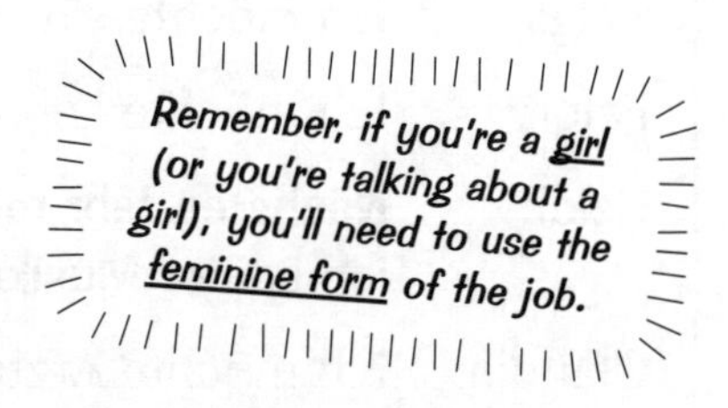

Remember, if you're a girl (or you're talking about a girl), you'll need to use the feminine form of the job.

a) I would like to be firefighter.
b) I want to be a dentist.
c) I would like to become a singer.
d) I wouldn't like to be a computer scientist.
e) My Mum is a teacher.
f) My Dad is an engineer.
g) My sister is a student.
h) My brother is a househusband.
i) I have a weekend job.

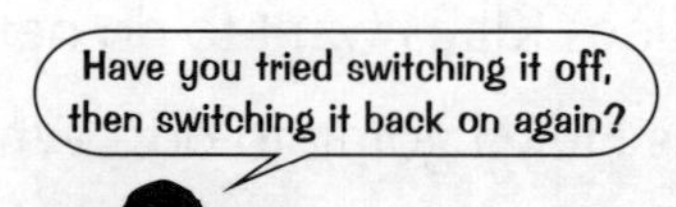

Have you tried switching it off, then switching it back on again?

Jobs: Advantages and Disadvantages

Q1 Match up these half sentences so they all make sense.

a) Ich will nicht in einer Schule arbeiten, ...
b) Ich wäre gern Rechtsanwalt sein, ...
c) Ich will nicht im Freien arbeiten, ...
d) Ich will Klempner sein, ...
e) Ich möchte Schriftsteller sein, ...
f) Ich wäre gern Tierarzt sein, ...
g) Ich will nicht in einem Büro arbeiten, ...

1) weil ich sehr kreativ bin.
2) weil es zu kalt wäre.
3) weil das Gehalt ganz gut ist.
4) weil ich mit Tieren arbeiten will.
5) weil ich selbständig sein möchte.
6) weil die Kinder zu stressig wären.
7) weil es zu langweilig wäre.

Q2 Read this e-mail from your new pen friend Bernd about his parents' jobs and what job he'd like to do in the future. Answer the questions below in English.

Hallo!

Ich freue mich sehr, einen englischen Brieffreund zu haben. Ich wohne in Berlin mit meinem älteren Bruder und meinen Eltern. Ich bin fünfzehn Jahre alt. Mein Vater ist Elektriker und meine Mutter ist Sekretärin in einem Hotel hier in Berlin. Sie kann ein bisschen Englisch und es gefällt ihr, Englisch mit den Hotelgästen zu sprechen. Mein Vater hat viele Arbeit im Moment und das Gehalt ist ganz gut. Ich hätte nicht gern Elektriker sein, weil die Arbeit zu stressig wäre. Ich will auch nicht in einem Hotel arbeiten, weil die Arbeitszeit zu lang wäre. Ich bin lieber Architekt oder Musiker in einer Band. Das wäre interessanter.

Was machen deine Eltern? Was willst du später werden? Schreib' mal bald zurück.

Tschüs

Bernd

a) What jobs do Bernd's parents have?
b) What does his Mum like about her job?
c) What is good about his Dad's job?
d) Would Bernd like to do the same as his Dad? Why/why not?
e) Does hotel work appeal to Bernd? Why/why not?
f) Which two jobs appeal to Bernd?
g) What questions does he ask you?

Mein Vater ist König und meine Mutter ist Astronautin.

Q3 Write a couple of sentences in German giving one job you'd like to do in the future and one job you wouldn't. Give a reason why for each one.

Working Abroad

Q1 Read what these people have to say about working abroad. Answer the questions in English.

Sabine: Nächstes Jahr möchte ich ein Betriebspraktikum in Frankreich machen, weil ich mein Französisch verbessern will. Ich werde in einem Hotel arbeiten.

Marcel: Nach meinem Abitur werde ich in einem Skiurlaubsort im Ausland arbeiten. Ich möchte reisen und viele Leute kennen lernen.

Heidi: Ich möchte ein Jahr freinehmen, um ein Jahr in Europa zu verbringen. Ich möchte Au-pair sein. Wahrscheinlich werde ich nach Italien fahren.

Gisela: Ich würde gern in die Schweiz fahren. Es wird ein fantastisches Erlebnis sein. Ich werde im Restaurant arbeiten, weil ich Köchin werden möchte.

Jan: Ich habe schon mein Betriebspraktikum gemacht. Es war toll. Ich habe in einem Nationalpark in Deutschland gearbeitet, weil ich mich für Natur interessiere.

Ulrike: Letztes Jahr habe ich einen Job in Spanien gefunden. Ich war Au-pair. Es war ein bisschen stressig, aber die Kinder waren eigentlich ganz süß.

a) Where would Sabine like to do her work experience?
b) Where will she work? Why?
c) When will Marcel go abroad? Where does he want to work?
d) What else does he want to do?
e) What will Heidi do? Where will she go?
f) What does Gisela want to do Switzerland?
g) What does she think it will be like?
h) What did Jan do? Why? Did he enjoy it?
i) When did Ulrike go to Spain?
j) What job did she do and how was it?

This working abroad is really tough.

Q2 Write out the following passage again, filling in the gaps using the words in the box below.

Letztes Jahr habe ich ein .... in Deutschland .... . Es war ein tolles .... . Ich habe einen Job in einem .... gefunden. Ich habe mein .... verbessert. Nächstes Jahr möchte ich ein Jahr ...., um ein Jahr in Italien zu .... . Ich möchte reisen und Leute .... .

kennen lernen	**Erlebnis**	**Deutsch**	**freinehmen**
Betriebspraktikum	**Hotel**	**gemacht**	**verbringen**

Q3 Write a short passage about your (real or imaginary) experience of working abroad and your plans to work abroad in the future. Use Q1 and Q2 to help you.

Getting a Job

Q1 Give the English for the following:

a) Lebenslauf
b) persönliche Daten
c) Ausbildung
d) Berufstätigkeit
e) sonstige Kenntnisse
f) verantwortlich
g) kreativ
h) fleißig
i) in Bezug auf
j) Anzeige
k) Stelle
l) sich bewerben

Q2 You are looking for a job in Germany. Read these job adverts and answer the questions below.

A

Ferienjob mit Kindern
im Freizeitpark
Tel: 23 54 89 Wochentags
Gut bezahlt

B

Teilzeitjob
Zeitungen austragen
Morgens früh
Telefonieren: 34 78 22
(Wir haben Fahrräder)

C

Friseuse sucht junge Frau / jungen Mann
für Haarewaschen (und Ausbildung).
Ideal für das Praktikum
Hauptstraße 22, tel: 88 99 04

a) Which job is advertised as part time? What is it?
b) Which job is for the holidays? Where would you be working?
c) Which job is ideal as work experience?
d) Which job asks you to ring on weekdays?
e) Which job requires an early start?
f) Which job offers transport?
g) Which job offers good pay?
h) Which job would you choose if you wanted to work with children?
i) Which job offers future development? What would you be training to be?

Sadly there were no vacancies for juggling high-wire librarians. Sam would have to extend her search.

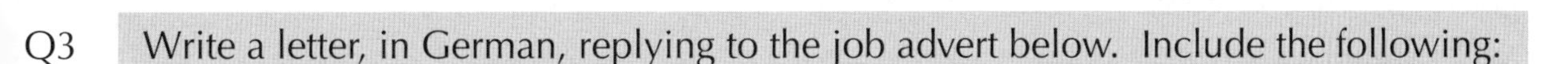

Q3 Write a letter, in German, replying to the job advert below. Include the following:

Stellenangebot:
Wir suchen Kellner/Kellnerin.
Nachmittags/Abends
Tel: 43 56 79

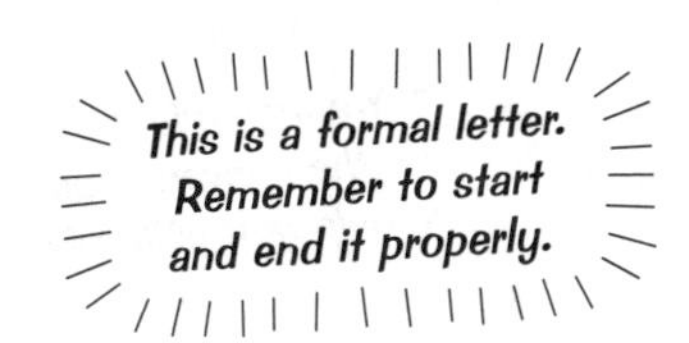

This is a formal letter.
Remember to start
and end it properly.

- Say you've seen the advert and want to apply for the position of waiter/waitress.
- Say that you're hard-working and responsible and have experience.
- Ask how many hours the position is for.
- Say that you've included your CV and that you hope to hear from them soon.

Getting a Job

Q1 Read the conversation and answer the questions in English.

Herr Braun:	Guten Tag Fräulein Taylor. Sie haben uns Ihren Lebenslauf gegeben. Sie interessieren sich für welche Stelle?
Anna Taylor:	**Ich möchte gern als Helferin beim Verkehrsamt in München arbeiten.**
Herr Braun:	Warum möchten Sie diese Stelle?
Anna Taylor:	**Ich interessiere mich für Tourismus und ich möchte gern mein Deutsch verbessern.**
Herr Braun:	Ach so, und was haben Sie in der Schule gemacht?
Anna Taylor:	**Ich habe ein Gymnasium in Plymouth besucht. Deutsch war mein Lieblingsfach in der Schule. Ich habe auch ein bisschen Italienisch, und natürlich Englisch, gemacht.**
Herr Braun:	Haben Sie die nötige Erfahrung?
Anna Taylor:	**Also, ich habe schon mit der Öffentlichkeit in einem Hotel gearbeitet.**
Herr Braun:	Gut, vielen Dank für Ihre Bewerbung. Ich werde Sie nächste Woche anrufen. Auf Wiedersehen.
Anna Taylor:	**Danke schön. Auf Wiedersehen.**

a) What has Anna already given in?

b) What job does she want?

c) Why does she want the job?

d) What kind of school did she go to?

e) What languages did she do at school?

f) Why does Anna think she'll be suitable for this work?

g) How will Herr Braun contact her about her application?

Q2 Translate the following sentences into German.

a) Please bring your CV.

b) Thank you for your application.

c) Which position are you interested in?

d) Why do you want this job?

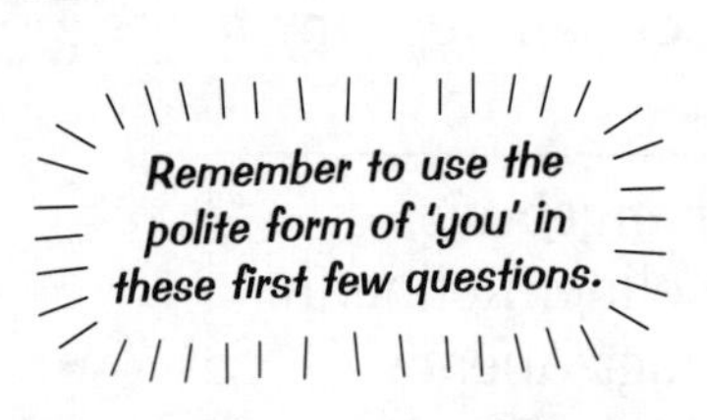

e) I'm interested in office work.

f) I went to a comprehensive school in Manchester.

g) French and German were my favourite subjects at school.

h) I'm sensible and hard-working.

i) I have the necessary qualifications.

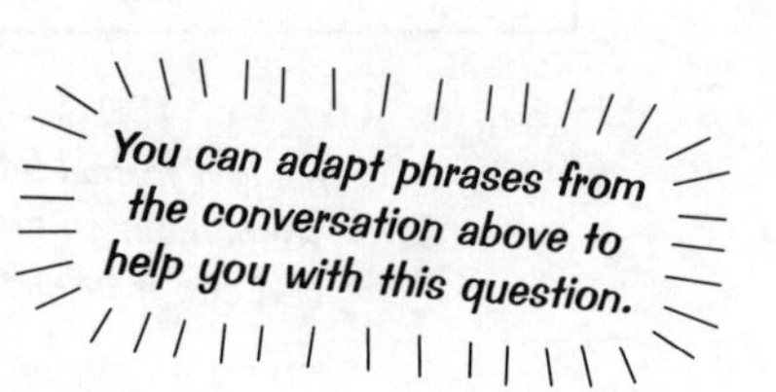

Telephones

Q1 You get home to find this message on your answerphone. Write down the details in English.

Guten Tag! Hier spricht Max. Meine Telefonnummer ist zwölf, zwounddreißig, achtzehn, vierundfünfzig. Kann Lisa mich um 21 Uhr zurückrufen, bitte? Ich habe einige Fragen über die Hausaufgaben. Danke. Auf Wiederhören.

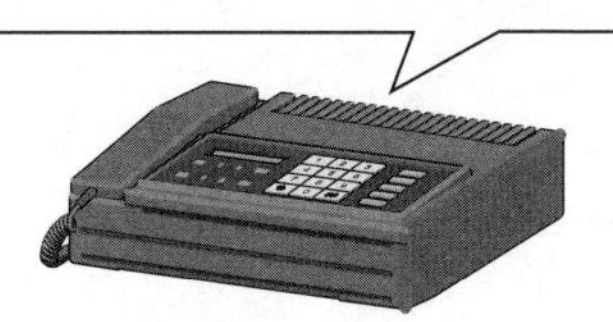

Q2 Read this conversation and answer the questions in English.

Wolfgang:	**Guten Abend Herr Braun. Hier ist Wolfgang. Darf ich mit Lieselotte sprechen?**
Herr Braun:	Es tut mir Leid, Wolfgang, sie ist im Moment nicht hier. Sie spielt Tennis im Sportzentrum.
Wolfgang:	**Wann kommt sie zurück? Ich wollte sie zu einer Party einladen.**
Herr Braun:	Sie kommt um halb acht zurück. Ruf' sie um Viertel vor acht an, bitte.
Wolfgang:	**Das werde ich machen. Auf Wiederhören.**

a) Who does Wolfgang want to speak to?

b) Why is that not possible?

c) Where is Lieselotte? What is she doing?

d) Why is Wolfgang ringing?

e) When will Lieselotte be back?

f) What does Herr Braun ask Wolfgang to do?

g) What time does he ask him to do this?

I'm sorry, madam, he's away from his desk at the moment.
Tell her I'm not here.

Q3 You're in Germany and whilst making some phone calls, you hear the following phrases. Translate them into English.

a) Hallo! Laura am Apparat.

b) Warten Sie einen Moment, ich verbinde Sie.

c) Augenblick, ich bin gleich wieder da.

d) Darf ich etwas ausrichten?

e) Es tut mir Leid, falsch verbunden.

f) Rufen Sie mich an, bitte.

g) Auf Wiederhören.

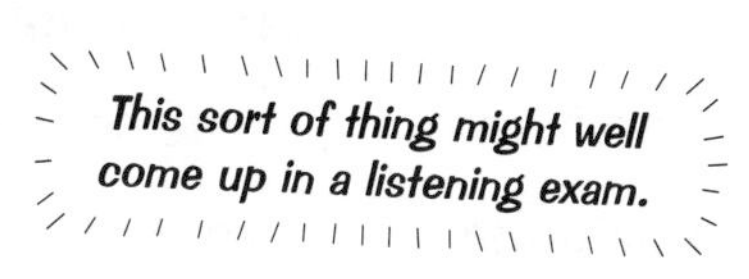

This sort of thing might well come up in a listening exam.

The Business World

Q1 Match up the German phrases with the English:

a) Können Sie mir helfen, bitte?
b) Sie sollten im Telefonbuch suchen.
c) Entschuldigung, wo kann ich einen Zahnarzt finden?
d) Wo kann ich einen Apotheke finden?
e) Sie sollten im Internet suchen.
f) Wo kann ich einen Friseur finden?

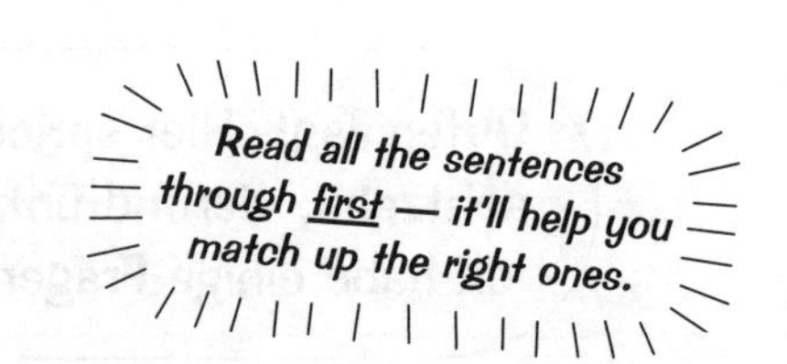

Read all the sentences through first — it'll help you match up the right ones.

1) You should look on the internet.
2) Where can I find a hairdresser?
3) Can you help me please?
4) Excuse me, where can I find a dentist?
5) You should look in the phone book.
6) Where can I find a pharmacy?

Q2 Read the following conversation. Write the conversation out again, translating the bits in German into English.

Verkäuferin:	Hallo, Handywelt. Helga am Apparat.
Customer:	**Hello. Last Tuesday I ordered a mobile phone, but there is a problem with the order.**
Verkäuferin:	Kann ich Ihren Name haben, bitte?
Kunde:	**Ja, mein Name ist Schmidt — Peter Schmidt.**
Verkäuferin:	Danke schön. Ich habe Ihre Bestellung gefunden. Was für ein Problem gibt es?
Customer:	**I ordered the mobile phone on the internet and wanted it in blue with a camera. You've sent me one in black without a camera.**
Verkäuferin:	Es tut mir Leid, mein Herr. Morgen früh werden wir Ihnen ein Handy in blau mit Fotoapparat schicken.
Kunde:	**Das ist toll. Danke schön.**
Verkäuferin:	Bitte schön. Sonst noch etwas?
Customer:	**No thanks, that's everything. Goodbye.**
Assistant:	Goodbye.

Q3 Now write it out one more time, this time translating the English bits from the conversation into German.

Cases

Q1 Put whether the words in bold are N (Nominative) or A (Accusative).

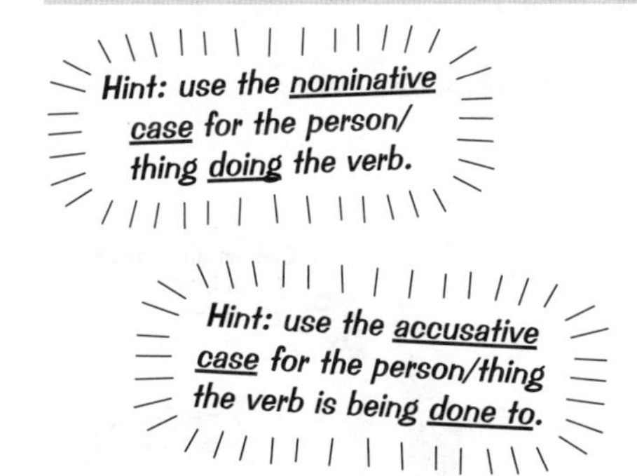

Hint: use the nominative case for the person/ thing doing the verb.
Hint: use the accusative case for the person/thing the verb is being done to.

a) Ich esse **den Apfel**.
b) **Ich** esse den Apfel.
c) Er kauft **Bonbons**.
d) **Er** kauft Bonbons.
e) **Suzi** sieht einen Film.
f) Suzi sieht **einen Film**.
g) **Die Katze** singt.
h) Singt **die Katze**?
i) Sie trinkt **das Mineralwasser**.
j) **Sie** trinkt das Mineralwasser.
k) Wir spielen **Fußball**.
l) **Wir** spielen Fußball.

Q2 Now put N, A or D (Dative) next to the words in bold.

a) Hermann schreibt **seinem Freund** einen Brief.
b) Hermann schreibt seinem Freund **einen Brief**.
c) **Er** gibt seiner Freundin einen Apfel.
d) Er gibt **seiner Freundin** einen Apfel.
e) Ich singe **meinem Freund** ein schönes Lied.
f) Ich singe meinem Freund **ein schönes Lied**.
g) Ich gebe meiner Katze **einen Fisch**.
h) Ich gebe **meiner Katze** einen Fisch.
i) **Sie** schreibt eine Postkarte ihrem Brieffreund.
j) Sie schreibt eine Postkarte **ihrem Brieffreund**.

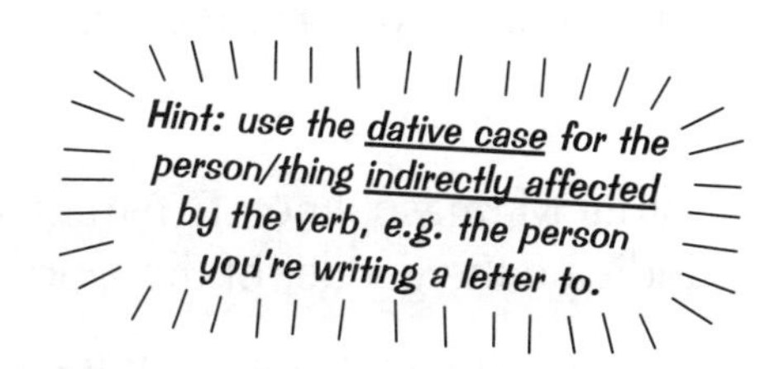

Hint: use the dative case for the person/thing indirectly affected by the verb, e.g. the person you're writing a letter to.

Q3 This time put N, A or G (Genitive).

a) Mein Vater trifft den Chef **der Bank**.
b) Der Chef **der Bank** trifft meinen Vater.
c) **Sie** fährt den Wagen ihres Vaters.
d) Sie fährt **den Wagen** ihres Vaters.
e) Ich kaufe **das Haus** meiner Oma.
f) Ich kaufe das Haus **meiner Oma**.
g) Wir essen **die Bonbons** unserer Freunde.
h) Wir essen die Bonbons **unserer Freunde**.
i) Ich stehle das Eis **des Mädchens**.
j) **Das Eis** des Mädchens war nicht so gut.

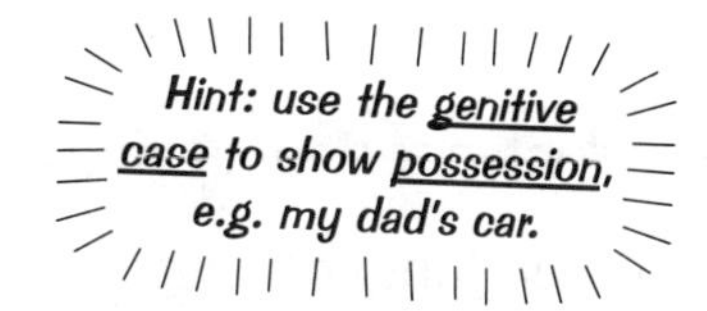

Hint: use the genitive case to show possession, e.g. my dad's car.

Q4 Translate these sentences into German.

a) I eat the ice cream.
b) He is writing a letter to his girlfriend.
c) I am buying my father's car.
d) He is writing a letter to his father's friend.

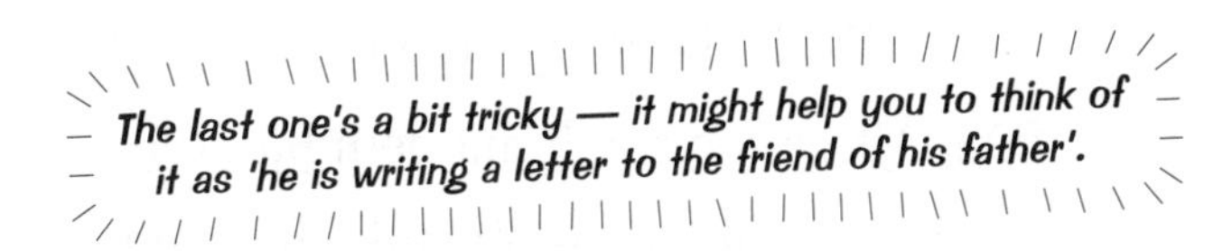

The last one's a bit tricky — it might help you to think of it as 'he is writing a letter to the friend of his father'.

Cases and Nouns

Q1 Write these sentences out again using the correct underlined word.

e.g. Ich sah den Freund meines Vater/Vaters. → Ich sah den Freund meines Vaters.

a) Ich verkaufe das Haus meines Opa/Opas.
b) Ich kaufe das Auto meiner Mutter/Mutters.
c) Ich werfe den Ball des Hunds/Hund.
d) Ich schicke meinen Freunde/Freunden ein Geschenk.
e) Er gibt seinen Brüdern/Brüder Kekse.
f) Ich treffe die Freundin meines Freund/Freunds.
g) Ich treffe den Freund meiner Freundins/Freundin.

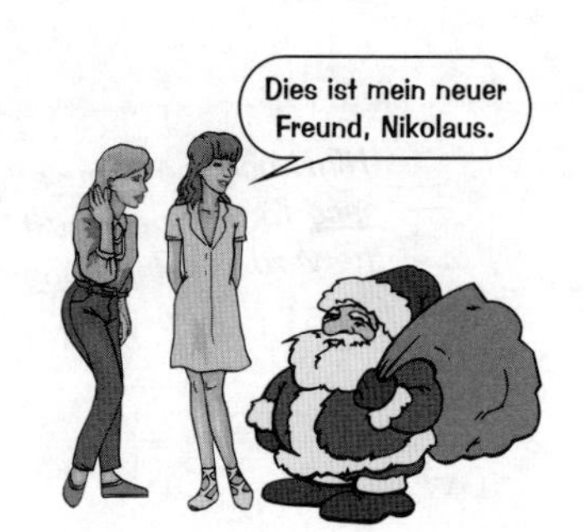

Dies ist mein neuer Freund, Nikolaus.

Q2 Write M (masculine), F (feminine) or N (neuter) to indicate the gender of the words in each sequence.

a) Mädchen Liebchen Kätzchen
b) Metzgerei Konditorei Bäckerei
c) Ärztin Sekretärin Lehrerin
d) Montag Dienstag Freitag
e) Sommer Winter Frühling
f) Lesen Schwimmen Essen
g) Abteilung Buchhandlung Bedienung
h) Informatiker Sekretär Lehrer
i) Mannschaft Freundschaft Landschaft
j) April Dezember März
k) Gesundheit Vergangenheit Gewohnheit
l) Geburtsdatum Stadtzentrum Arbeitspraktikum

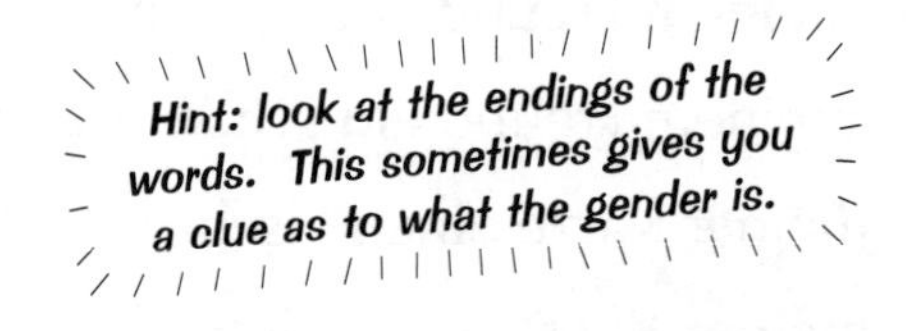

Hint: look at the endings of the words. This sometimes gives you a clue as to what the gender is.

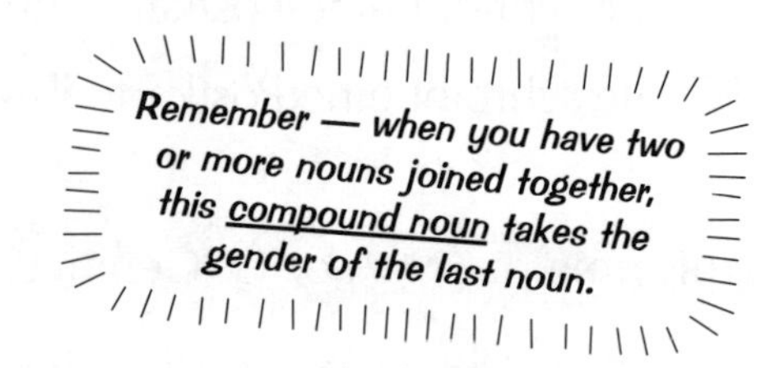

Remember — when you have two or more nouns joined together, this compound noun takes the gender of the last noun.

Q3 Write these sentences out again using the correct underlined word.

a) Ich treffe den Jungen/Junge.
b) Der Junge/Jungen geht ins Kino.
c) Ich gebe dem Mensch/Menschen das Geld.
d) Ich besuche den Herrn/Herren.
e) Ich treffe die Herrn/Herren in der Stadtmitte.
f) Der Affe/Affen spielt mit dem Bären/Bär.
g) Man sieht die Buchstaben/Buchstabens des Namen/Namens.

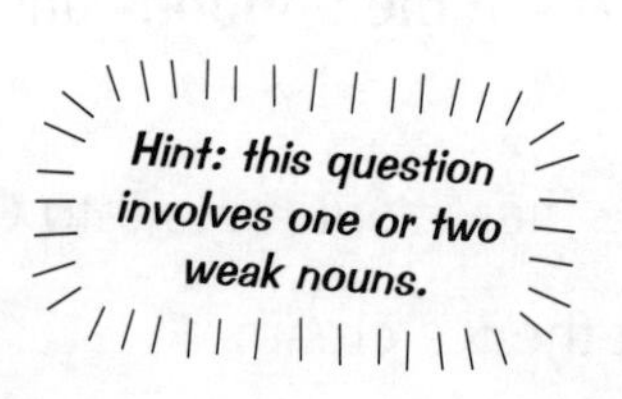

Hint: this question involves one or two weak nouns.

Nouns

Q1 Change these words into the plural.

a) die Wurst
b) die Bratwurst
c) die Blume
d) der Zahn
e) das Kind
f) das Sofa
g) der Metzger
h) die Einladung
i) die Birne
j) der Bruder
k) das Haus
l) das Doppelbett

Q2 Put the following sentences into German.

a) The apples are bad.
b) I like oranges.
c) The band knows three good songs.
d) I have two hands.
e) There are two streets in the town (**in the town = in der Stadt**).
f) I would like two rooms please.

Q3 Translate these sentences into English.

a) Der **Alte** ist sehr **alt**.
b) Ich liebe das **hübsche** Mädchen.
c) Die **Hübsche** wohnt in meinem Dorf.
d) Der **Obdachlose** hat kein Haus.
e) Er ist **obdachlos**.
f) Der **Intelligente** ist wirklich **intelligent**.

Q4 For each of the sentences below, turn the adjective in brackets into a noun to fill the gap. Then write out the complete sentence.

e.g. Die .... ist meine Freundin. (hübsch) → Die Hübsche ist meine Freundin.

a) Der .... wohnt in der Nähe. (**alt**)
b) Die .... wohnt im Dorf. (**alt**)
c) Der .... wohnt im Glockenturm. (**hässlich**)
d) Der .... besucht England. (**deutsch**)
e) Die .... wohnen in Deutschland. (**deutsch**)
f) Die .... geht in die Grundschule. (**klein**)
g) Die .... sind entsetzlich. (**klein**)

Word Order

Q1 Rewrite these sentences putting the time phrase (**in bold**) first.

e.g. Ich spiele Fußball am Samstag. → Am Samstag spiele ich Fußball.

a) Ich gehe **am Freitag** in die Stadt.

b) Ich besuche London **im April**.

c) Wir gehen **am Wochenende** einkaufen.

d) Ich treffe Karla **um neun Uhr**.

e) Er kommt **morgen** nicht in die Schule.

f) Sie spielt **jeden Abend** Hockey.

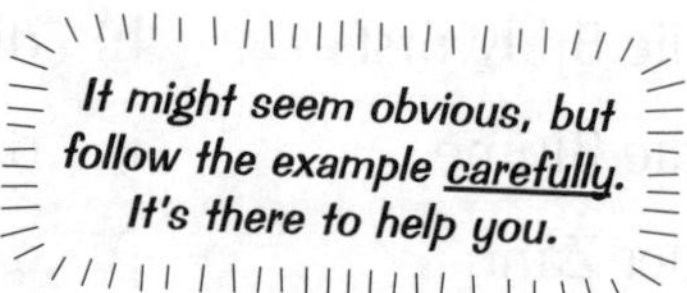

It might seem obvious, but
follow the example carefully.
It's there to help you.

Q2 Write down whether these phrases are T (time/when), M (manner/how) or P (place/where).

a) mit der Straßenbahn

b) ins Ausland

c) nächste Woche

d) ins Museum

e) heute Nachmittag

f) im Herbst

g) mit dem Flugzeug

h) nach Schottland

i) mit dem Zug

j) jeden Tag

k) ins Einkaufszentrum

l) mit dem Boot

m) morgen früh

n) mit der U-Bahn

o) in die Kegelbahn

p) übermorgen

Q3 Use the phrases above to create 3 sentences of your own in German, with a time, manner and place phrase in each.

E.g. Im Herbst fahre ich mit dem Boot nach Schottland.

Q4 Rewrite these sentences with correct word order.
There's more than one right answer for each sentence.

a) Ich Volleyball spiele am Freitag.

b) Am Samstag ich spiele Golf.

c) Ich werde besuchen Frankreich im Juli.

d) Im August werde ich reisen nach Spanien.

e) Ich fahre mit dem Bus am Montag in die Schule.

f) Am Dienstag fahre ich in die Schule mit dem Rad.

g) Wir müssen unsere Hausaufgaben machen am Samstag.

Word Order

Q1 Finish off the German translations of the following sentences.

e.g. I go to Germany. = Ich fahre nach Deutschland.
I will go to Germany. = Ich werde nach Deutschland fahren.

a) I visit my grandmother. = Ich besuche meine Großmutter.
I will visit my grandmother. = **Ich werde ....**

b) We go to the youth centre. = Wir gehen ins Jugendzentrum.
We will go to the youth centre. = **Wir werden ....**

c) She buys chocolate in the supermarket. = Sie kauft Schokolade im Supermarkt.
She wants to buy chocolate in the supermarket. = **Sie will ....**

d) I see the new film. = Ich sehe den neuen Film.
I must see the new film. = **Ich muss ....**

e) He visits his friend on Saturday. = Er besucht seine Freundin am Samstag.
He is allowed to visit his friend on Saturday. = **Er darf ....**

Q2 Write out the sentence with the correct word order.

a) Ich spiele Tennis am Wochenende. / **Am Wochenende Tennis spiele ich.** /
Am Wochenende ich spiele Tennis. / Am Wochenende ich Tennis spiele.

b) Am Samstag ich gehe in die Stadt. / **Am Samstag gehe ich in die Stadt.** /
Ich am Samstag in die Stadt gehe. / Am Samstag in die Stadt gehe ich.

c) Ich kann schwimmen wirklich gut. / **Ich wirklich gut schwimmen kann.** /
Ich kann wirklich gut schwimmen. / Ich wirklich schwimmen gut kann.

d) Am Montag ich fahre mit der Straßenbahn in die Schule. /
Am Montag fahre ich mit der Straßenbahn in die Schule. /
Am Montag fahre ich in die Schule mit der Straßenbahn.

e) Nächstes Jahr werde ich nach Deutschland fahren. /
Nächstes Jahr werde ich fahren nach Deutschland. /
Ich werde nächstes Jahr fahren nach Deutschland.

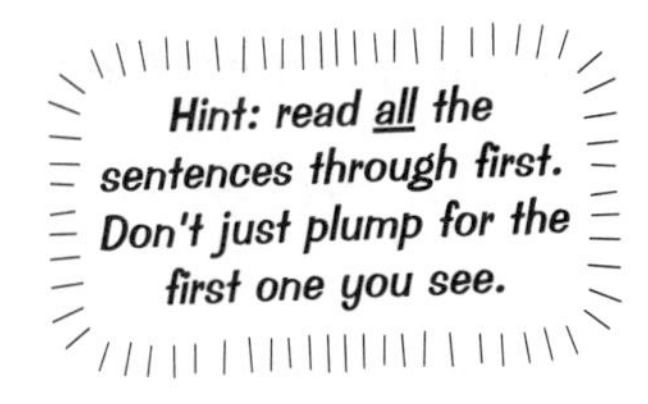

Hint: read all the
sentences through first.
Don't just plump for the
first one you see.

Q3 Write out these sentences again in the correct order.
There's more than one right answer for some of them.

a) Samstag im spiele am Sportzentrum Ich Tischtennis.

b) Film Jeden Kino sehen einen im Freitag wir neuen.

c) möchte ich Flugzeug Sommer mit Italien nach fahren Im dem.

d) fahre Zug nach Juli dem im London Ich mit.

e) Samstagabend darf Am ich Freunde besuchen meine.

f) gut See nicht Ich der schwimmen in kann.

g) Abend in Ich heute Disko Kusine treffe meine der.

h) Tag ich im Jeden gehe joggen Park.

i) Samstag nach wir mit Workington Am Wagen fahren dem werden.

Conjunctions

Q1 Match up the German with the English.

although when/if for/because until and or but because whether while

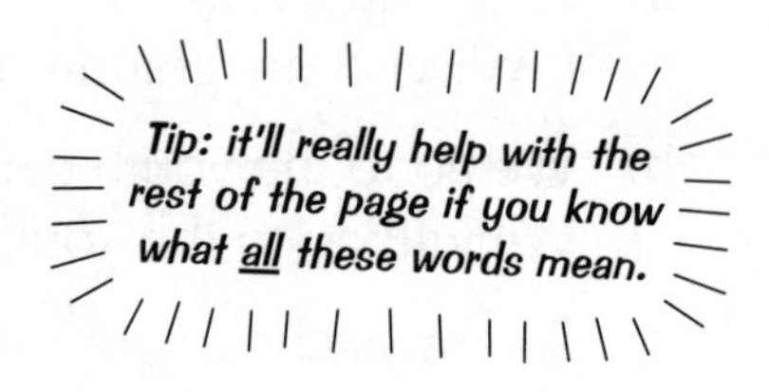

Tip: it'll really help with the rest of the page if you know what all these words mean.

Q2 Join up these sentences using either '**und**', '**aber**', '**denn**' or '**oder**'. There'll be more than one answer for some of these — just choose one that makes sense.

a) Ich schwimme gern. Ich tanze gern.
b) Ich möchte im Freibad schwimmen. Es ist zu kalt.
c) Ich bleibe zu Hause. Ich habe Fieber.
d) Ich werde in Keswick wohnen. Ich werde im Ausland wohnen.
e) Ich habe eine Schwester. Mein Vater heißt Wilhelm.
f) Wir haben eine Mutter. Wir haben keinen Vater.
g) Wir gehen ins Kino. Der neue Film ist sehr spannend.
h) Kommst du mit? Gehst du nach Hause?

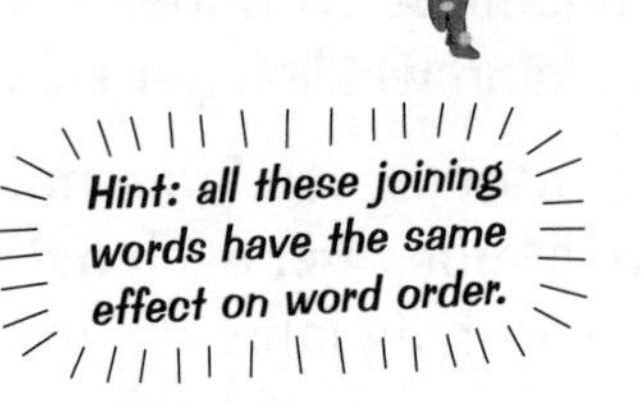

Hint: all these joining words have the same effect on word order.

Q3 Write out these sentences again, filling in the gaps with the words in the box.

a) Spielst du Fußball .... Rugby?
b) Ich komme heute nicht ins Theater, ... ich bin krank.
c) .... es regnet, bleibe ich zu Hause.
d) Ich esse gern Hähnchen .... trinke immer Orangensaft.
e) Er fährt auf Urlaub, ... er kein Geld hat.
f) Ich komme heute nicht ins Konzert, ... ich krank bin.
g) Ich warte auf Ingrid vor dem Kino, ... sie kommt nicht.
h) Ich studiere Deutsch, ... ich in Hamburg arbeiten kann.
i) Ich weiß nicht, ... er mich liebt.
j) Wir werden warten, ... die Sonne scheint.

und
oder
weil
damit
bis
ob
obwohl
wenn
denn
aber

Conjunctions

Q1 Join up these sentences using the word in brackets.

a) Ich sonne mich. Es ist heiß. (**wenn**)

b) Wir essen im chinesischen Restaurant. Wir gehen ins Theater. (**bevor**)

c) Er wohnt bei seinen Eltern. Er geht auf die Uni. (**bis**)

d) Ich kaufe ein neues Auto. Ich kann nicht fahren. (**obwohl**)

e) Er schreibt. Er geht nicht auf die Uni. (**dass**)

f) Sie studiert jeden Abend. Sie hat Prüfungen im Mai. (**weil**)

g) Ich weiß nicht. Er kommt im Sommer nach England. (**ob**)

h) Sie konnte kein Fleisch essen. Sie war jung. (**als**)

i) Er las das Buch. Er hatte seine Tante besucht. (**nachdem**)

j) Die Katze hat seine Milch getrunken. Er hat geschlafen. (**während**)

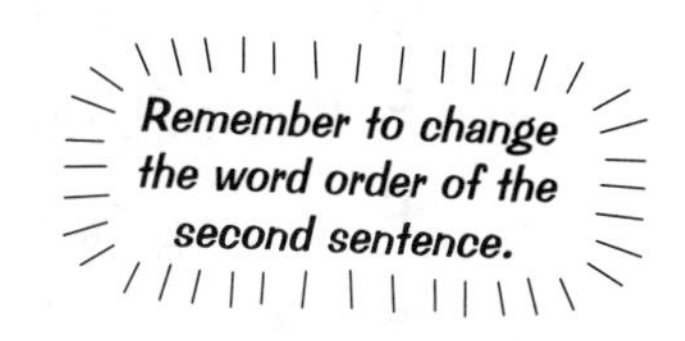

Remember to change the word order of the second sentence.

Q2 Use your imagination to complete these sentences in German.

a) Ich werde Spanien besuchen **und** ....

b) Ich möchte in Berlin wohnen, **denn** ....

c) Ich werde als Journalist arbeiten **oder** ....

d) Ich will Marie nicht treffen, **denn** ....

e) Ich möchte Arzt werden, **damit** ....

f) Ich werde in der See schwimmen, **wenn** ....

g) Sagen Sie mir, **ob** ....

h) Ich will ihn treffen, **obwohl** er ....

i) Ich weiß, **dass** ....

j) Warte, **bis** du ....

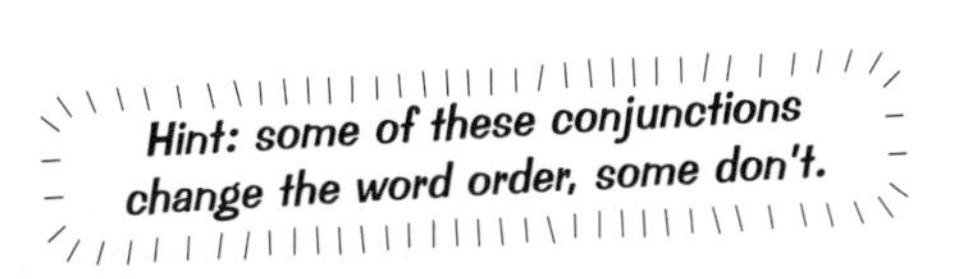

Q3 Translate these sentences into German.

a) I will not smoke any more or I will die.

b) I don't like school because the uniform is awful.

c) I hate England when it is raining.

d) Before you ('du') go give me some sweets.

e) Although you ('du') are ill, you can still go to the rock concert.

Articles — 'The' and 'A'

Q1 Write out these sentences again with the correct form of der/die/das in the gaps. You've got the genders of each noun to help you.

a) .F.. Katze schläft auf dem Bett. **(nominative)**

b) Ich mag .M.. Hund. **(accusative)**

c) Ich singe .M.. Hund ein Lied. **(dative)**

d) Ich sehe .N.. Kaninchen im Garten. **(accusative)**

e) .F.. Farbe .N.. Autos ist rot.

f) .F.. Maus gehört .M.. Jungen.

g) .F.. Schwester .PL.. Zwillinge wohnt in London.

h) Ich gebe .PL.. Eseln eine Karotte.

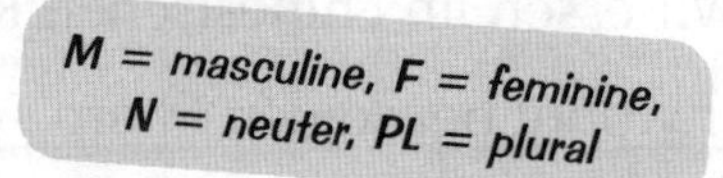

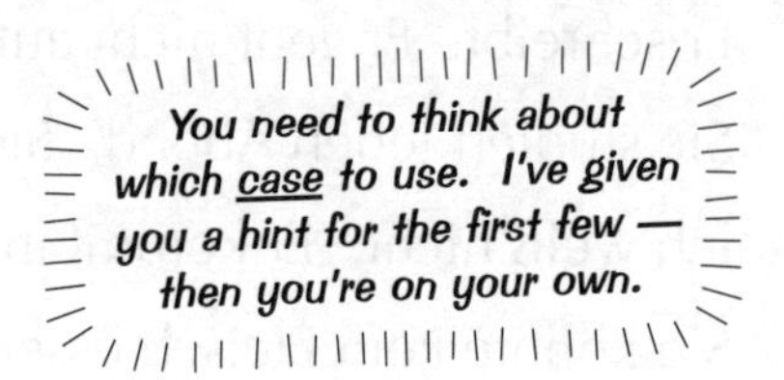

You need to think about which case to use. I've given you a hint for the first few — then you're on your own.

Q2 Write out these sentences again with the correct form of ein/eine/ein in the gaps. I've given you the genders again to help you out .

a) .M.. Hund findet .M.. Ball.

b) Ich habe .M.. Bruder und .F.. Schwester.

c) .N.. Kind spielt mit der Katze.

d) Sie isst .M.. Apfel, .N.. Paket Chips und .F.. Banane.

e) Ich schreibe .M.. Freund .M.. Freunds. *(I write to a friend of a friend.)*

f) Ich schreibe .F.. Freundin .F.. Freundin.

Q3 Complete the blanks using the words in the box.

a) D... Erwachsenen kaufen d... Äpfel.

b) D... Student spielt mit d... Kindern.

c) E... Buch liegt auf e... Tisch.

d) D... Mädchen sieht e... neuen Film jede Woche in d... Kino.

e) D... Frau hat e... rotes Auto.

f) Er besucht d... Museum in d... Stadtmitte.

g) D... Wände d... Schlafzimmers sind grün.

Die	**den**	**Die**	**Ein**	**das**	**ein**	**Der**	**einen**
einem	**Die**	**dem**	**die**	**des**	**Das**	**der**	

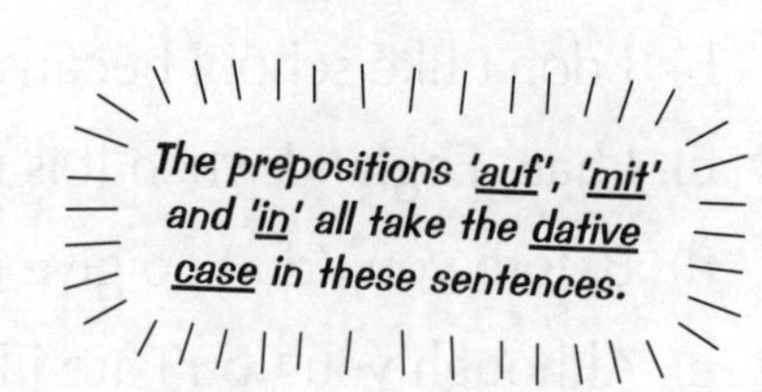

The prepositions 'auf', 'mit' and 'in' all take the dative case in these sentences.

Adjectives

Q1 Match these adjectives into pairs with opposite meanings.

gut alt klein langsam glücklich schön kurz groß interessant schwierig schlecht jung hässlich traurig lang langweilig schnell einfach

Q2 Translate these sentences into German.

a) The apple is green.
b) The house is ugly.
c) The boy is fast.
d) The girl is sad.
e) German is easy, but interesting.
f) Maths is difficult and boring.

Q3 Write out these sentences again with the right adjective endings.

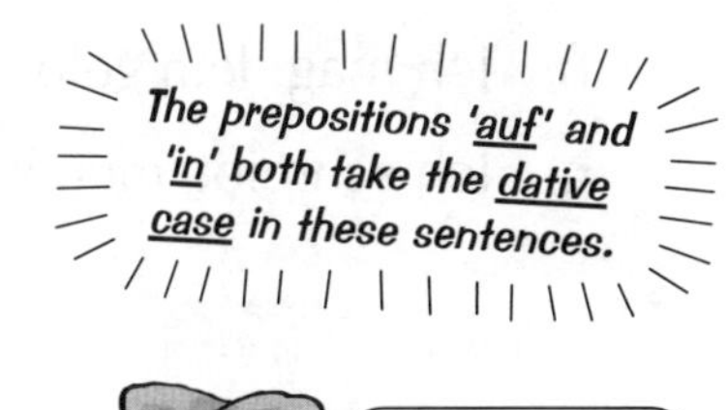
The prepositions 'auf' and 'in' both take the dative case in these sentences.

a) Ich suche die schwarz... Katze und das weiß... Kaninchen.
b) Dieser braun... Hund schläft auf dem grün... Sofa.
c) Die deutsch... Studentin liest das traurig... Buch.
d) Beide klein... Kinder spielen in dem schön... Park.
e) Sie kauft die rot... Blusen und den schwarz... Regenmantel.
f) Ich gebe diesem klein... Mädchen den grün... Keks.

Es ist so traurig...

Q4 Write out these sentences again, filling in the gaps. This time, you'll need to work out the genders yourself. I've given you the English translations to help you out a bit.

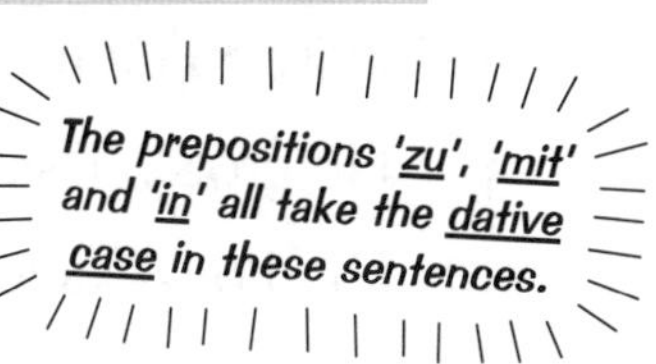
The prepositions 'zu', 'mit' and 'in' all take the dative case in these sentences.

a) D... groß... Bäckerei liegt in d... historisch... Stadtmitte.
The big bakery lies in the historic town centre.
b) Ich kaufe d... blau... Handy in d... modern... Einkaufszentrum.
I buy the blue mobile phone in the modern shopping centre.
c) Sie fährt mit d... langsam... Straßenbahn zu d... hässlich... Kirche.
She travels with the slow tram to the ugly church.
d) Hast du d... grün... Rock und d... weiß... Jacke gesehen?
Have you seen the green skirt and the white jacket?
e) Welch... neu... Film sollten wir sehen?
Which new film should we see?
f) Ich esse d... groß... Paket Kekse und trinke d... klein... Flasche Cola.
I eat the big packet of biscuits and drink the small bottle of cola.

If you get stuck, use a dictionary to look up genders, but remember — you need to think about which case to use.

Adjectives

Q1 Pick the odd one out.

a) rosa lila gelb breit
b) einfach euer seltsam normal
c) unser welcher sein dein
d) ihr viele wenige einige
e) sympathisch unfreundlich glücklich interessant
f) mein sein Ihr jeder

Q2 Write out these sentences again, filling in the blanks.

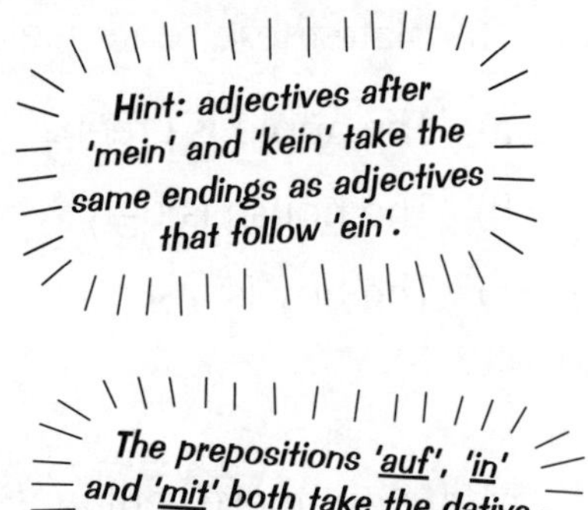

Hint: adjectives after 'mein' and 'kein' take the same endings as adjectives that follow 'ein'.
The prepositions 'auf', 'in' and 'mit' both take the dative case in these sentences.

a) Ein schwarz... Hund spielt mit einem rot... Ball.
b) Ein alt... Buch liegt auf einem braun... Tisch.
c) Ich gebe meiner jung... Schwester meine alt... Kleider.
d) Ich habe keine gut... Freunde in meiner neu... Schule.
e) Er hat einen groß... Bruder und eine klein... Halbschwester.
f) Ich mag dein gelb... Fahrrad und deine schwarz... Tasche.
g) Ich schreibe meinem best... Freund einen schön... Brief.

Q3 Write these sentences out again, filling in the blanks.
You'll need to work out the genders yourself.

a) Ich kann mein... blau... T-Shirts und mein... weiß... Sportschuhe nicht finden.
b) Sie hat ihr neu... Handy und ihr... schwarz... Handtasche verloren.
c) Wir fahren mit unser... schnell... Wagen zu ein... billig... Supermarkt.
d) Hast du dein... rot... Badehose und dein gelb... Badetuch?
e) Er schreibt sein... deutsch... Brieffreundin ein... lang... Brief.
f) Hast du dein... schwierig... Hausaufgaben gemacht?
g) Ein groß... Fisch schwimmt in unser... warm... Hallenbad.
h) Die Polizei sucht ein... alt... Frau und ein... klein..., schlank... Mann.

The prepositions 'zu', 'mit' and 'in' all take the dative case in these sentences.

Q4 Translate these sentences into German.

a) I like my new, green bike.
b) My big, brown dog is always happy.
c) The pretty, young girl is wearing a short, blue dress.
d) We are staying in a beautiful hotel near a small, quiet town.
e) The old, ugly man lives in a strange, black house.

Adjectives

Q1 Write out the adjectives again with the correct endings.

a) frisch... Milch
b) kalt... Bier
c) zwei rot... Äpfel
d) schön... Tage
e) warm.... Wasser
f) einige klein... Kinder
g) viele gut... Freunde
h) zehn grün... Flaschen
i) ein Glas frisch... Milch

Q2 You know the score. Write out these sentences again, filling in the blanks.

a) Ich kaufe zwei grün... Äpfel, eine Dose kalt... Bier und einige rot... Tomaten.
b) Ich habe etwas Interessant... gelesen.
c) Wir haben wenige schlecht... Freunde.
d) Es gibt viel Neu... in der Stadt.
e) Ich sehe einige weiß... Vögel und viele tot... Fische.

Q3 These are a bit trickier. Write the sentences out again, filling in the blanks.

a) D... neu... Haus liegt in ein... ruhig... Dorf.
The new house lies in a quiet village.

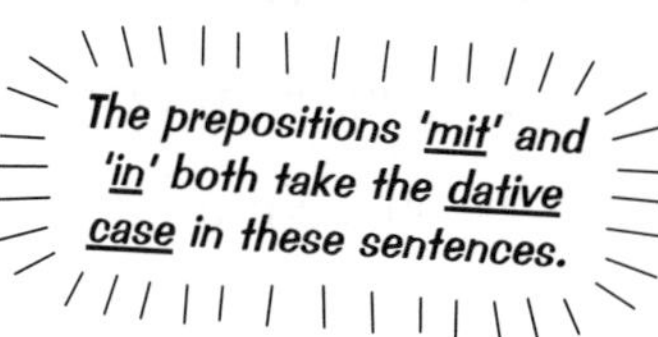
The prepositions 'mit' and 'in' both take the dative case in these sentences.

b) Sie trägt immer ein... schwarz... Minirock und rot... Stiefel.
She always wears a black miniskirt and red boots.

c) Mein... älter... Schwester hat viele sympathisch... Freundinnen.
My older sister has lots of nice (female) friends.

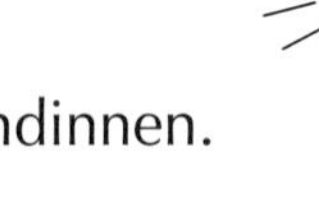

d) Wir besuchen d... historisch... Marktplatz und d... interessant... Museum.
We visit the historic market place and the interesting museum.

e) Er hat kurz..., blond... Haare und blau... Augen.
He has short blond hair and blue eyes.

f) Mein schwarz... Pferd hat gelb... Zähne.
My black horse has yellow teeth.

g) Wir sprechen mit unser... italienisch... Onkel und sein... amerikanisch... Frau.
We speak with our Italian uncle and his American wife.

h) Ein... schön... Tages werde ich viel Geld verdienen und ein groß... Schloss kaufen.
One beautiful day I will earn lots of money and buy a big castle.

i) Mein klein... Bruder muss ein... unpraktisch... Schuluniform tragen.
My little brother must wear an impractical school uniform.

Adverbs

Q1 Translate these sentences into English.

a) Er singt laut und schlecht.
b) Er singt ein lautes Lied.
c) Sie hat einen langsamen Wagen.
d) Sie fährt langsam.
e) Ich bin ziemlich groß.
f) Sie ist sehr seltsam.
g) Ab und zu gehe ich einkaufen.
h) Ich verlasse das Haus so bald wie möglich.
i) Im Winter ist es zu kalt.
j) Ich kann fast schwimmen.

Q2 Write these sentences out again and finish each one off using one of the adverbs from the box. Then give the English translations.

a) Dann und wann spielt er .... .
b) Ich laufe sehr .... .
c) Das war wunderbar. Du singst .... .
d) Der Film war .... gut.
e) Er geht .... zu Fuß in die Schule, wenn es regnet.

unglaublich	schlecht	
schön	langsam	glücklich

Q3 Translate these sentences into German.

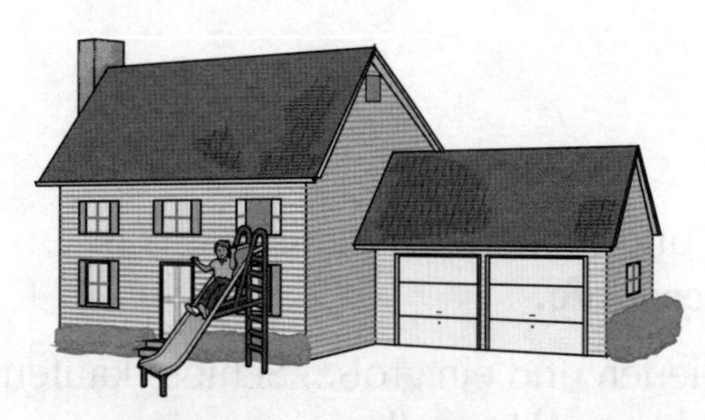
Tim had found a way to shave valuable seconds off the school run.

a) She is quite small.
b) Sometimes I come late to school.
c) He is too lazy.
d) I run very quickly.
e) You ('du') are working well at school.
f) I can speak German a bit.
g) She is almost there.
h) I read a lot.
i) I often dance happily.

Comparatives and Superlatives

Q1 Write these sentences out again, completing them in the same way as the example.

e.g. Die Maus ist klein, aber die Spinne ist kleiner.

a) Felix ist schnell, aber Leonie ist .... .

b) Mein Auto ist langsam, aber dein Auto ist .... .

c) Ich bin hässlich, aber du bist .... .

d) Erika ist schön, aber Jürgen ist .... .

e) Tennis ist langweilig, aber Golf ist .... .

f) Meine Großmutter ist alt, aber mein Großvater ist .... .

g) Ein Pferd ist groß, aber ein Elefant ist .... .

h) Der Baum ist hoch, aber der Turm ist .... .

These sentences all use comparatives.

Q2 Write these sentences out again, completing them in the same way as the example.

e.g. Hannah ist klein, aber Klaus ist der Kleinste.

a) Felix ist schnell, aber Leonie ist .... .

b) Der Affe ist traurig, aber der Löwe ist .... .

c) Lea ist seltsam, aber ihr Freund ist .... .

d) Die Straße ist breit, aber der Lastkraftwagen ist .... .

e) Die Bäckerei ist nah, aber der Supermarkt ist .... .

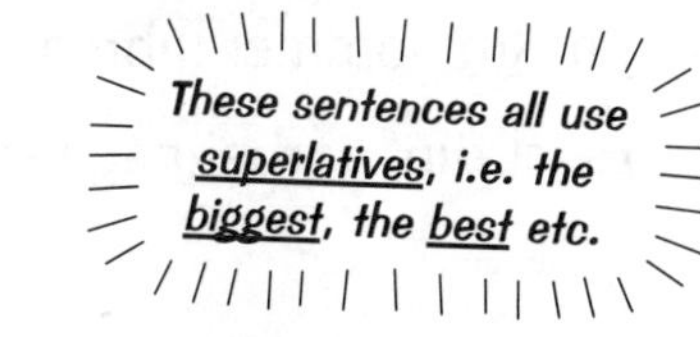

These sentences all use superlatives, i.e. the biggest, the best etc.

Don't talk to me — it's all too much.

Q3 Complete these sentences, using the English translations below to help you.

a) Thomas fährt langsam, Andreas fährt .... , aber Hans fährt .... .
Thomas drives slowly, Andreas drives slower, but Hans drives the slowest.

b) Er läuft viel, sie läuft .... , aber ich laufe .... .
He runs a lot, she runs more, but I run the most.

c) Du singst gut, sie singt .... , aber ich singe .... .
You sing well, she sings better, but I sing the best.

Q3 Translate these sentences into German.

a) Johanna is just as intelligent as Petra.

b) I am older than my sister.

c) My brother is as tall as me.

d) Biscuits taste better than cheese.

e) French is less interesting than German.

f) I prefer speaking German.

g) I like singing best of all.

h) I cook well, but I dance better.

i) Ethel dances best.

j) The highest tree is taller than Karl.

Don't panic if you're struggling with these — they're quite tricky.

Prepositions

Q1 **Write these sentences out again using the right prepositions (the underlined bits).**

a) Er geht zum/seit dem Café.
b) Ich studiere Informatik an der/zu der Universität.
c) Im/Am Abend sehen wir fern.
d) Ich gehe am/um vier Uhr bei/nach Hause.
e) Mein Opa wohnt bei/nach mir.
f) Das Poster ist an/auf der Wand.
g) Fährt dieser Zug zu/nach München?
h) Wir gehen immer zu/auf Fuß in die Stadt.
i) Im/Am Dienstag treffe ich meine Freunde.
j) Heute bleiben wir zu/nach Hause.
k) Im/Am Sommer fahren wir nach/in die Türkei.
l) Es ist fünf vorbei/nach sechs.

Q2 **Write out these sentences again and fill in the blanks using the words in the box. Then give the English translations.**

a) Heute bleibe ich .... Bett.
b) Er kommt immer .... Fuß.
c) .... wie viel Uhr ist der Zug nach Köln?
d) Meine Mutter kommt .... Australien.
e) Gehen wir .... Bahnhof?
f) Ich habe ihn .... einer Party getroffen.
g) .... Morgen esse ich Toast mit Marmelade.
h) Er wohnt .... Schweden.
i) Das Foto ist .... der Wand.
j) Die Katze schläft .... dem Sofa.
k) Das Flugzeug ist .... Chicago gekommen.
l) Ich bin krank und werde .... Hause bleiben.

zu	zum	im	bei	von	an	zu	in	um	auf	aus	am

Prepositions

Q1 True or False? Put T if the sentence uses the correct German preposition and F if it doesn't. Write the false sentences out again using the right preposition.

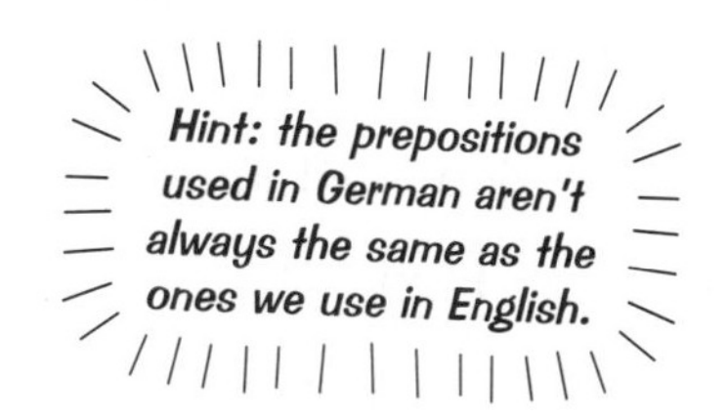

Hint: the prepositions used in German aren't always the same as the ones we use in English.

a) Diese Jacke ist von Leder.
b) Er kommt aus Kanada.
c) Der Pullover ist aus Wolle.
d) Wir treffen uns am fünften von März.
e) Sie ist eine gute Freundin von mir.
f) Ist diese Torte vor mich?
g) Ich studiere Deutsch seit zwei Jahren.
h) Der vierzehnte Februar ist mein Geburtstag.
i) Ich lerne für fünf Jahre Englisch.
j) Sie hat das Zelt für mich gekauft.

Q2 Match the prepositions on the left to the right case. The numbers in brackets tell you how many prepositions go with each case.

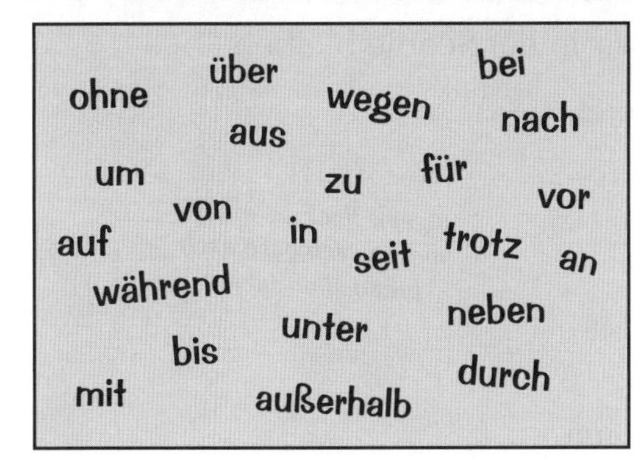

Accusative only (5)
Genitive (4)
Dative only (7)
Dative or Accusative (7)

Watch out: some prepositions take more than one case.

Q3 Write these sentences out again, choosing the right words from the underlined bits.

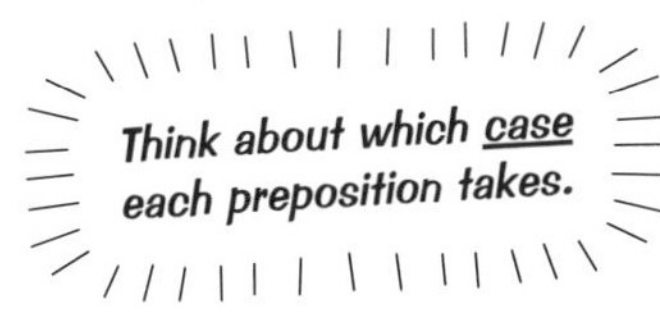

a) Ich gehe ins/im Café.
b) Ich fahre über die/der Brücke.
c) Ich bleibe ins/im Bett.
d) Das Buch liegt hinter den/dem Stuhl.
e) Ich treffe dich vor das/dem Rathaus.
f) Das Bild hängt an die/der Wand.
g) Ich sitze auf die/der Brücke.
h) Er geht hinter das/dem Sofa.
i) Die Maus läuft unter den/dem Tisch.
j) Unser Haus befindet sich neben eine/einer Bäckerei.

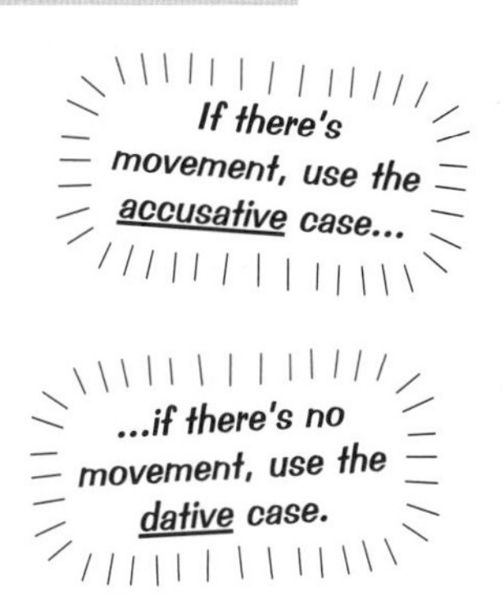

If there's movement, use the accusative case...
...if there's no movement, use the dative case.

Prepositions

Q1 Write these sentences out again, selecting the correct words from the forehead of the famous German physicist Max Planck to fill in the gaps. Then give the English translations.

a) Er geht die Straße .... .
b) .... des Wetters spielen wir Tennis.
c) West Ham spielt .... Hull.
d) .... der Woche gehe ich nicht in die Stadt.
e) Ich bin .... meine Tasche .... Schule gekommen.
f) Ich spreche .... meinen Freunden .... die Mode.
g) Meiner Meinung .... ist er sehr dumm.
h) Was machst du .... der Schule?
i) Die Post liegt dem Rathaus .... .
j) Ist dieses Geschenk .... mich?

Q2 Write these sentences out again, choosing the right words from the underlined bits.

a) Wegen <u>der/des</u> schlechten Wetters müssen wir in der Schule bleiben.
b) Freitags gehen wir immer in <u>die/der</u> Pizzeria.
c) Im Juli schwimmen wir in <u>die/der</u> See.
d) Wir fahren in <u>die/der</u> Schweiz.
e) Vor <u>die/der</u> Tür schläft der weiße Hund.
f) Wir fahren bis <u>zu den/zum</u> Marktplatz.
g) Dieses Geschenk kommt von <u>deine/deiner</u> Oma.
h) Wir fahren um das Stadtzentrum <u>die/der</u> Schlossstraße entlang.
i) Trotz <u>meine/meiner</u> Erkältung gehe ich <u>ins/im</u> Konzert.
j) Ich kaufe eine Jacke für <u>meine/meiner</u> Schwester und ein Handy für <u>meinen/meinem</u> Freund.

Again, think carefully about which <u>case</u> each preposition takes.

Q3 Translate the following phrases into German.

a) on the wall
b) on Friday
c) on foot
d) to London
e) five to three
f) twenty past four
g) to the post office
h) She comes from Germany.
i) a present for me
j) made of leather
k) at home
l) at 3 o'clock
m) at a party
n) at the station
o) a friend of mine
p) I've been married for 5 years.
q) in my opinion
r) in front of the church

Pronouns

Q1 Write out these sentences again and replace the noun in bold with the correct pronoun.

e.g. Der Junge ist nett. Der Junge ist mein Freund. → Der Junge ist nett. Er ist mein Freund.

a) Der Hund ist schwarz. **Der Hund** heißt Fritz.

b) Die Kinder gehen nicht zur Schule. **Die Kinder** spielen im Garten.

c) Das Haus ist modern. **Das Haus** liegt am Stadtrand.

d) Ich studiere gern Erdkunde. **Die Erdkunde** ist sehr interessant.

e) Der Junge bleibt zu Hause. **Der Junge** ist krank.

f) Die Mädchen gehen in die Disko. **Die Mädchen** tanzen sehr gut.

g) Marie ist meine beste Freundin. **Marie** ist sehr sympathisch.

h) Das Buch hat mir nicht gefallen. **Das Buch** war langweilig.

Remember — pronouns are words that replace nouns, e.g. he, she, you, it.

Q2 Think what you'd say in situations a) to h) if you were talking in German. Write down whether you'd say **du, ihr** or **Sie** for each one.

a) Saying to your mum, "Have you seen my mobile?"

b) Saying to your teacher, "Please could you explain that again?"

c) Asking a policeman in the street for directions.

d) Asking a few friends, "Would you like to come to my party?"

e) Arranging to meet a friend at the cinema — "Can you meet me at 7 pm?"

f) Asking a shop assistant, "Do you have any bread?"

g) Asking your friend's parents, "Did you enjoy your holiday?"

h) Saying to your little brother, "Please will you pass me the remote?"

Q3 Write out these sentences again and replace the noun in bold with the correct pronoun.

e.g. Ich mag den Jungen. → Ich mag ihn.

a) Ich sehe **den dicken Mann** im Kino.

b) Ich treffe **die neue Schülerin** am Theater.

c) Ich schreibe **meinem Bruder** einen Brief.

d) Ich gebe **meiner Mutter** die Zeitung.

e) Ich schicke **meinen Freunden** ein Buch.

f) Ich besuche **die Studenten**.

g) Ich gebe **dem Pferd** ein Stück Zucker.

h) Ich esse **eine Orange**.

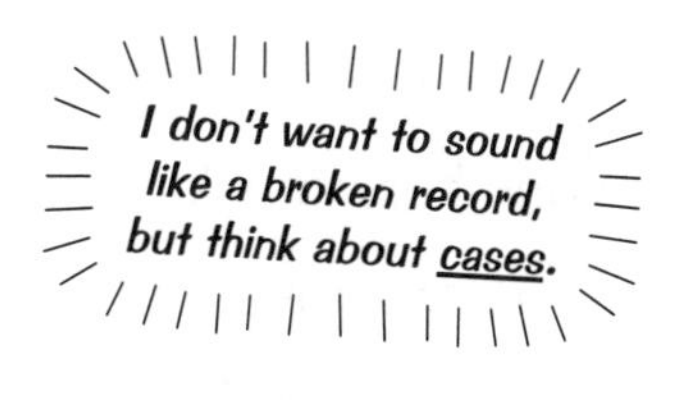

I don't want to sound like a broken record, but think about cases.

Pronouns

Q1 Write these sentences out again, choosing the right underlined word.

a) Geben Sie mich/mir das Buch.
b) Meine Katze beißt mich/mir immer.
c) Ich werde dich/dir ein Lied singen.
d) Ich danke ihnen/Ihnen für Ihre Blumen.
e) Er spricht mit uns/unser über du/euch.
f) Kommen ihr/Sie mit?
g) Geht ihr/euch in dieselbe Schule?
h) Was machst du/Sie heute?
i) Er gibt ihn/ihm ein Computerspiel.
j) Mein Freund wohnt bei sie/ihr.

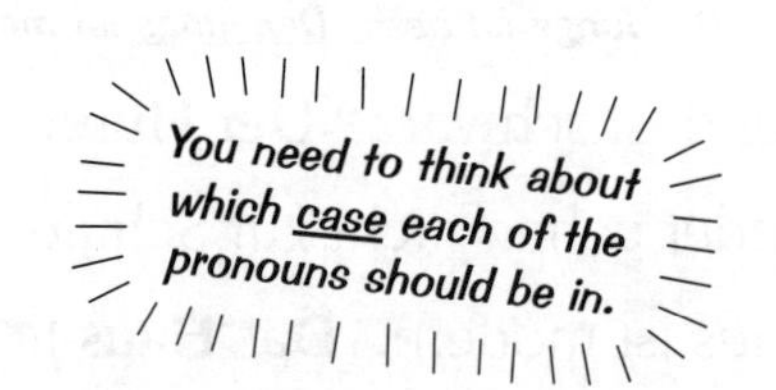

Q2 Fill in the blanks using the words in the box.

wen	wo	jemand	wem
was	man	wer	was für

a) .... wohnt in deinem Haus?
b) Mit .... sprichst du?
c) Ist .... da?
d) .... ein Auto hast du?
e) .... wohnst du?
f) .... hast du gemacht?
g) .... hast du gestern besucht?
h) .... spricht Polnisch in Polen.

Q3 Translate these sentences into German.

a) How does one say that in Spanish?
b) Does anyone here speak German?
c) Why does no one love me?
d) With whom are you ('du') going to the disco?
e) Who is your ('dein') favourite singer?
f) What kind of ice cream do you ('du') want?
g) Will someone please go to the cinema with me?
h) One eats fish on Friday.
i) I am interested in sport.
j) Did you ('du') see her in the café?

Relative Pronouns

Q1 Circle the correct choice.

They're a bit tricky, these relative pronouns — but use them correctly and the marks'll roll in.

a) Die Studentin, der/die Italienisch spricht, ist launisch.

b) Der Mann, der/den ich gestern besucht habe, ist krank.

c) Das Baby, das/dessen immer weint, ist sehr klein.

d) Die Freundin, mit die/der ich spreche, ist sehr sympathisch.

e) Das Auto, deren/dessen Fenster gebrochen sind, funktioniert nicht.

f) Der Hund, der/den im Wald spielt, ist freundlich.

g) Die Fußballspieler, mit deren/denen ich spreche, kommen aus Frankreich.

h) Meine Tante, deren/dessen Haus sehr klein ist, hat viele Schlangen.

i) Die Verwandten, die/deren ich am Montag treffe, besuchen England.

j) Der Bus, mit der/dem ich in die Stadt komme, ist immer spät.

Q2 Join the sentences together using a relative pronoun.
I've given you the English translation of the final sentence to help.

E.g. Der Junge heißt Bill. Er wohnt in Leeds. → Der Junge, der Bill heißt, wohnt in Leeds.
The boy, who is called Bill, lives in Leeds.

a) Die Frau besucht meinen Opa. Sie hat lange, braune Haare.
The woman, who visits my Grandad, has long brown hair.

b) Die Kinder sind sieben Jahre alt. Sie besuchen die Grundschule.
The children, who are seven, attend the primary school.

c) Der Mann ist arbeitslos. Ich sehe ihn am Bahnhof.
The man, whom I see at the train station, is unemployed.

d) Die Jungen wohnen in der Nähe. Er spielt Fußball mit den Jungen.
The boys, with whom he plays football, live nearby.

e) Das Haus ist groß. Die Zimmer des Hauses sind weiß.
The house, whose rooms are white, is big.

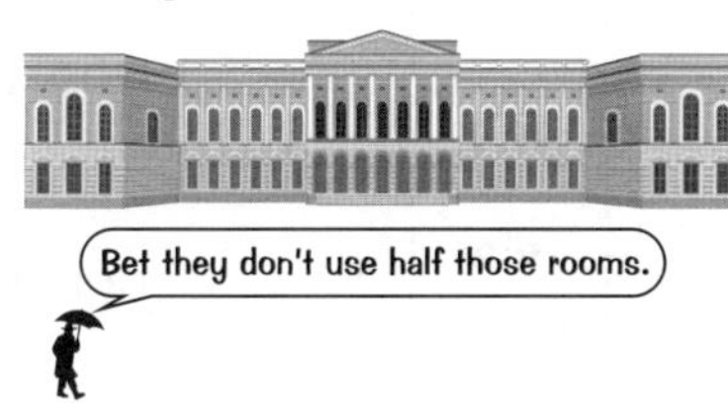
Bet they don't use half those rooms.

Q3 Translate these sentences into English.

a) Die Bonbons, die ich gestohlen habe, waren lecker.

b) Das Kaninchen, das meiner Schwester gehört, ist braun.

c) Meine Freundin, die ich jedes Wochenende treffe, ist ziemlich klein.

d) Das Auto, mit dem ich in die Schule komme, ist grün.

e) Meine Tante, deren Tasche Sie gefunden haben, arbeitet in diesem Geschäft.

f) Weniges, was der Lehrer sagte, war interessant.

g) Alles, was ich gesehen habe, war wunderschön.

The Present Tense

Q1 Decide if these sentences are in the past, present or future tense.

a) I do my homework.
b) I did my homework at the weekend.
c) My little sister never does her homework.
d) I will phone my friends later.
e) My friends were all at the party.
f) My German teacher goes to the German Christmas Market every year.
g) We will be going to Switzerland in the summer.
h) It will be fantastic weather.
i) The school football team won every match last season.
j) I played in some of the matches.
k) I will be playing next season.
l) There is a training session every Saturday.

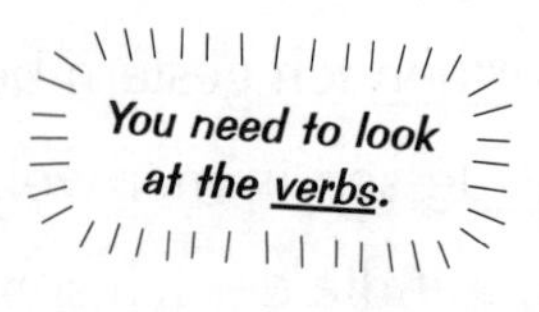

You need to look at the verbs.

BROUGHTON HIGH FC '10

Q2 Match these people with as many different verbs as possible. You can use some of the words more than once.

ich
du
er
wir
ihr
Sie
sie (they)

spielst geht gehen denke hoffen spielen findet arbeitet denkst hoffe arbeiten schreibt hofft beginne beginnst spielt findest schreibst bekommen denken

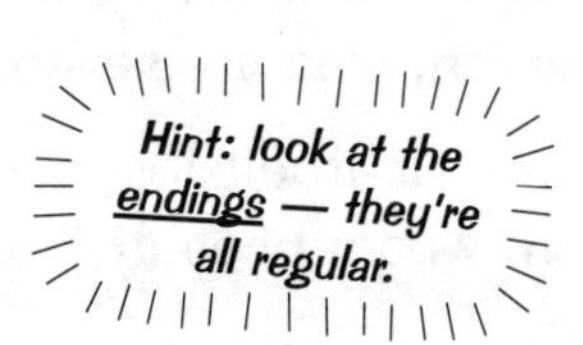

Hint: look at the endings — they're all regular.

Q3 For each of these verbs, write the correct form. *e.g. ich .... (spielen) → ich spiele*

a) ich .... (hören)
b) wir .... (lernen)
c) er .... (lieben)
d) ihr .... (sagen)
e) Sie .... (reden)
f) sie (she) .... (schicken)
g) ich .... (schlagen)
h) du .... (stellen)
i) wir .... (studieren)
j) ihr .... (trinken)
k) sie (they) .... (bringen)
l) du .... (suchen)
m) ich .... (wohnen)
n) Sie .... (tanzen)
o) man .... (versuchen)

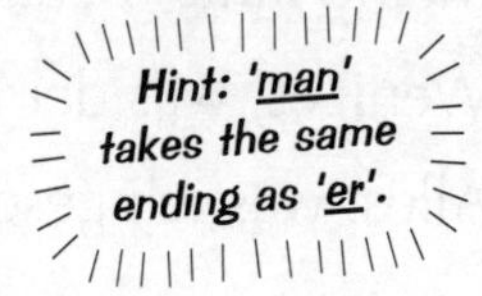

Hint: 'man' takes the same ending as 'er'.

The Present Tense

Q1 For each of these verbs, write the correct form. *e.g. er .... (handeln) → er handelt*

a) ich .... (feiern)
b) du .... (feiern)
c) er .... (feiern)
d) wir .... (feiern)
e) ich .... (klettern)
f) du .... (klettern)
g) sie (she) .... (klettern)
h) Sie .... (klettern)
i) ich .... (segeln)
j) du .... (segeln)
k) man .... (segeln)
l) sie (they) .... (segeln)
m) ich .... (lächeln)
n) ihr .... (lächeln)
o) wir .... (lächeln)

Watch out for these verbs — the endings are slightly different to the ones on the last page.

Q2 Put these into German.

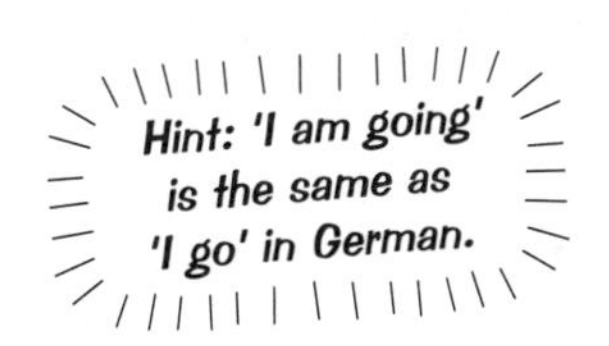

Hint: 'I am going' is the same as 'I go' in German.

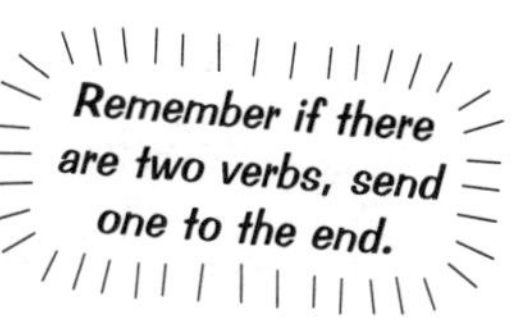

Remember if there are two verbs, send one to the end.

a) I am going swimming.
b) We are going hiking.
c) They are going dancing.
d) She is going skiing.
e) Karl is going jogging.
f) We are going camping.
g) I go fishing at the weekends.
h) They go bowling on Wednesdays.
i) We go running every evening.

Q3 Translate these sentences into German.

a) Robert is playing football.
b) My brother is writing an e-mail.
c) My dad works on Saturdays.
d) We are studying maths and French.
e) Do you ('du') live in a flat or a house?
f) I am smiling because it is sunny today.
g) School begins at twenty to nine.
h) I am listening to rap music.
i) They are bringing a mobile and a camera.
j) Christopher is sailing today.
k) Sonja is celebrating, because it is her birthday today.
l) Maria and Fred are buying a cake.

So, do you live in a house or flat?

The Present Tense

Q1 Give the German infinitive of each verb and its English translation.

e.g. Ich spiele Tischtennis. → spielen = to play

a) Mein Lehrer erklärt immer schlecht die Hausaufgaben.
b) Ich bekomme gute Noten, wenn ich fleißig arbeite.
c) Mein Freund benutzt das Internet.
d) Jeden Morgen kauft meine Tante sechs Brötchen und 500 g Käse.
e) Wie feiert ihr dieses Jahr euren Geburtstag?
f) Wir gehen heute Abend mit Oma und Opa tanzen.
g) Was für Filme liebst du?
h) Hans klettert im Moment ganz selten, weil er ein bisschen Angst davor hat.

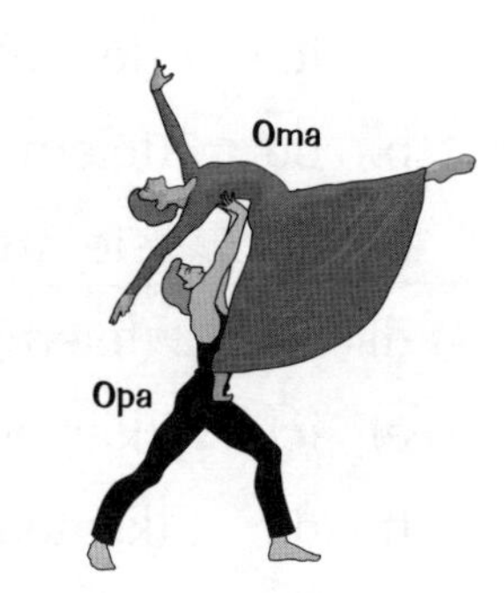

Q2 Match the verbs with their infinitives.

sein
haben
fahren
essen
geben
tragen

gebt trage bist habt esse fährt sind isst fahrt hast trägt habe seid fahren gibst ist esst gibt bin trägst gebe fährst fahre haben hat tragen

These are all irregular verbs.

Q3 Translate the following into German.

a) I am
b) he has
c) we are wearing
d) he gives
e) you ('du') are driving
f) she is eating
g) you ('du') are
h) he is wearing
i) I have
j) you ('ihr') are
k) she travels
l) it is
m) they are
n) we have
o) you ('ihr') eat

Q4 Translate these into German.

a) I have a dog.
b) I am intelligent.
c) My dog is intelligent.
d) Are you ('du') untidy?
e) Katja is wearing trousers.
f) Boris travels to London every week.
g) He knows nothing about London.
h) We have a very large television.
i) She likes eating chocolate cake.
j) The books are on the table.

The Present Tense

Q1 **Translate these sentences into English and write the German infinitive for each verb after the sentence.**

a) Ich bin fünfzehn Jahre alt.

b) Seid ihr fertig?

c) Meine Freundin isst einen Apfel und eine Banane jeden Tag.

d) Der Feuerwehrmann fährt gern in seinem Feuerwehrfahrzeug.

e) Meine Großmutter trägt eine Brille.

f) Hast du deine Handtasche?

g) Markus gibt Lotti Blumen jedes Wochenende.

h) Ich weiß nicht.

i) Mein Vater heißt George.

j) Isst du gern Blumenkohl?

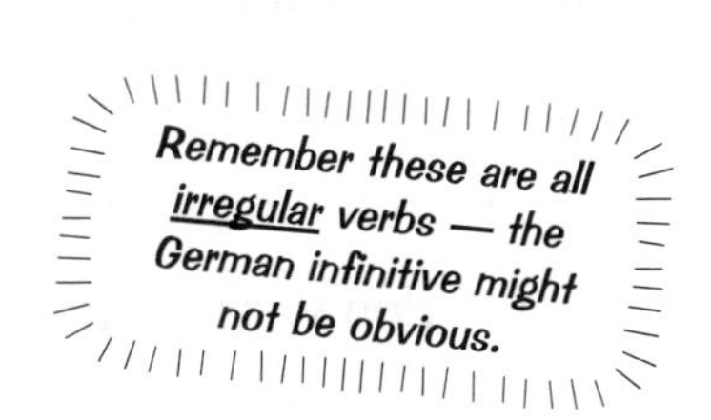

Remember these are all irregular verbs — the German infinitive might not be obvious.

Q2 **Translate the following into English:**

a) Ich helfe den Goldfischen.

b) Die Goldfische gehören mir.

c) Ich folge dem schwarzen Auto.

d) Er dankt mir sehr höflich.

e) Meine Hand tut mir weh.

f) Meine Eltern glauben immer den Lehrern.

g) Meine Mutter gratuliert oft meiner Schwester, aber mir ganz selten.

h) Ich schreibe abends meinen Freunden viele E-mails.

Q3 **Use the sentences above to help you translate these into German.**

a) I often write e-mails to the goldfish (plural).

b) He is following the red car.

c) My head hurts.

d) I rarely help the teachers.

e) My dad very rarely congratulates my friends.

f) She always thanks me.

g) My teachers always believe me.

h) The goldfish belong to my sister.

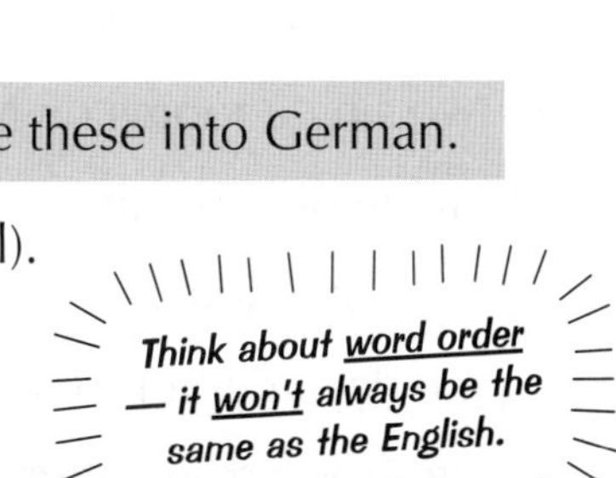

Think about word order — it won't always be the same as the English.

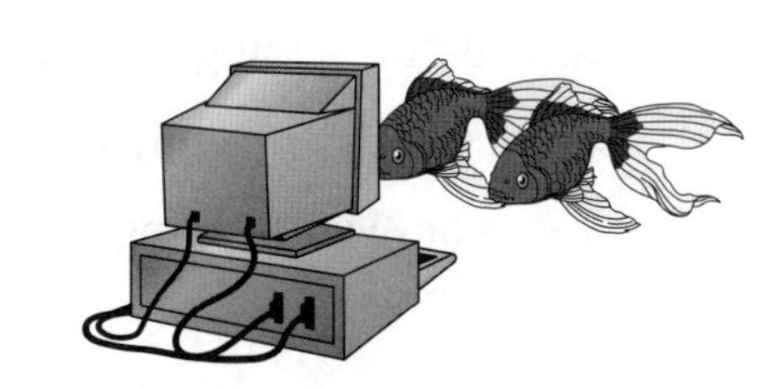

The Future Tense

Q1 Put these sentences into English.

a) Ich gehe später einkaufen.
b) Mariette und Oliver spielen morgen Badminton.
c) Nächstes Jahr fahre ich mit meiner Familie nach Frankreich.
d) Morgen esse ich gesund.
e) Nächste Woche macht er Aerobic.
f) Nach den Prüfungen werde ich einen Teilzeitjob finden.
g) Übermorgen fährt meine Klasse nach Deutschland.
h) Im Sommer werden wir mit dem Zug nach Aberdeen fahren.
i) Das Wetter wird hoffentlich sehr schön sein.
j) Wir werden in einem großen Hotel wohnen.
k) Sie werden ihren Geburtstag am Wochenende feiern.
l) Nach der Schule werde ich auf die Universität gehen.
m) In der Zukunft werde ich absolut perfektes Deutsch sprechen.
n) In zwanzig Jahren werde ich Millionär sein.
o) Meine Katze wird nochmal morgen versuchen, eine Maus zu finden.

Q2 Translate these sentences about the future into German, using the present tense.

e.g. I'm going (= travelling) to Scotland next year. → Nächstes Jahr fahre ich nach Schottland.

a) Oscar is going (= travelling) to London next week.
b) This summer, we are going to go swimming every day.
c) I am buying a new house next year.
d) They are booking two single rooms on Monday.
e) Tomorrow I am drinking only water.
f) I am sending the email on Friday.
g) I am going sailing the day after tomorrow.
h) Adam is playing tennis tomorrow afternoon.
i) We are getting a new car next week.
j) Are you ('du') doing your homework later?
k) On Tuesday, Ben is buying a fashionable shirt.
l) Next year, we are flying to America.

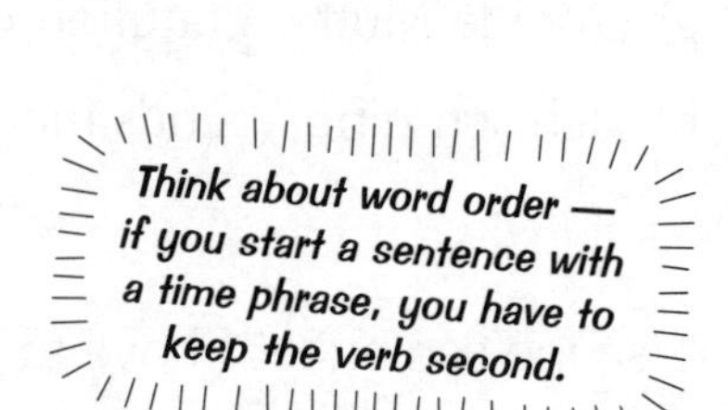
Think about word order — if you start a sentence with a time phrase, you have to keep the verb second.

Adam is playing tennis tomorrow...

The Future Tense

Q1 Write these sentences out again and fill in the gaps using the correct form of 'werden'.

a) Du .... morgen in die Schule gehen.
b) Susi und du, ihr .... zusammen dahin gehen.
c) Susi .... um halb acht hier sein.
d) Ich .... dich um halb sieben aufwachen.
e) Wir .... Brötchen essen und Orangensaft trinken.
f) Deine Klassenkameraden .... in der Klasse sein.
g) Deine Lehrerin .... sehr sympathisch sein.
h) Du .... um halb zwei wieder nach Hause kommen.
i) Deine Katze .... hier auf dem Sofa schlafen.
j) Wir .... um sechs Uhr zu Abend essen.
k) Du .... um acht Uhr ins Bett gehen, weil du sehr müde sein .... .
l) Er .... uns um zwölf Uhr am Marktplatz treffen.

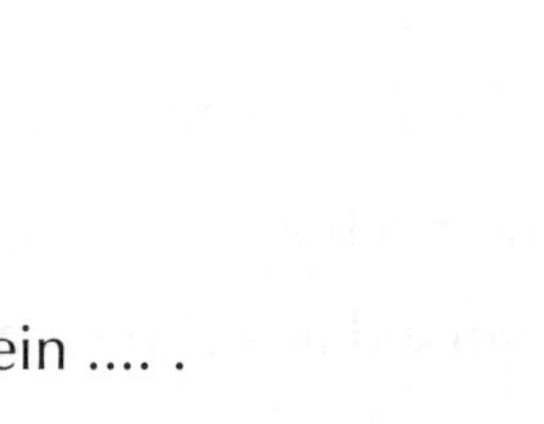

Q2 Translate these sentences into German using 'werden' and an infinitive.

a) I will buy a car.
b) He will drink a cup of tea.
c) They will go to Spain.
d) It will be sunny and warm
e) Will you ('du') look for a job?
f) She will eat only organic food.
g) Next year I am going to do lots of sport and play tennis regularly.
h) In the summer my brother is going to be a member of a rugby club.
i) Tomorrow Markus and Brigitte are going to visit the museum in the town centre.
j) Next week, Andre will travel by bus to the cinema with his girlfriend.
k) On Monday, I am going to go back to Birmingham to see my parents.
l) At the weekend we will tidy the bedrooms and vacuum too.
m) This summer there will be lots of good films.
n) You ('ihr') are going to empty the dishwasher tomorrow.
o) I will learn vocabulary* regularly next week.
(* = die Vokabeln)

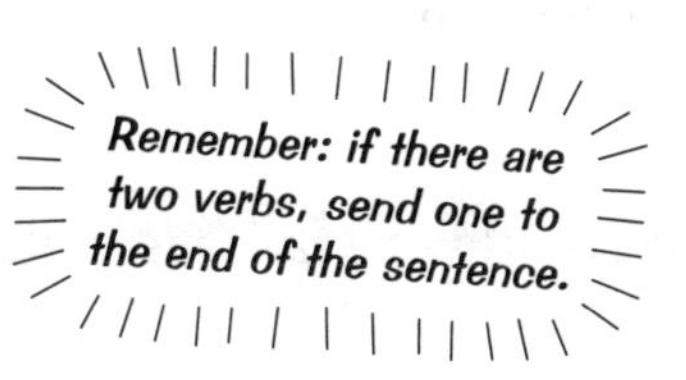

Remember: if there are two verbs, send one to the end of the sentence.

I will learn vocab regularly next week.
Yeah, right.

The Perfect Tense

Q1 Give the German infinitives and past participles of the following verbs:

e.g. to work = arbeiten → gearbeitet

a) to answer
b) to use
c) to need
d) to visit
e) to explain
f) to put
g) to stop
h) to buy
i) to expect
j) to ask
k) to believe
l) to look for
m) to improve
n) to try
o) to wait
p) to live
q) to shut/close

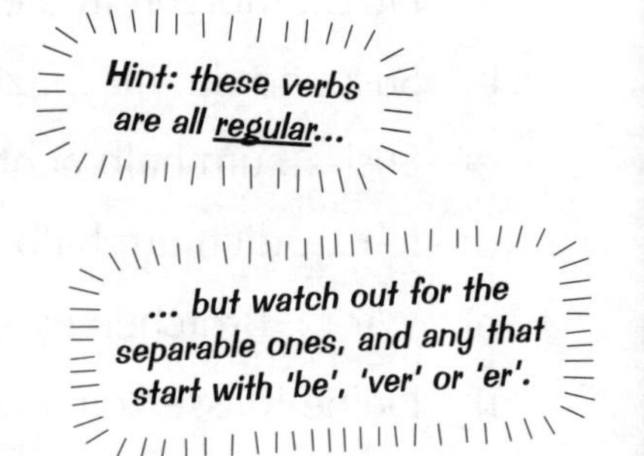

... but watch out for the separable ones, and any that start with 'be', 'ver' or 'er'.

Q2 Put these sentences into German using the perfect tense.

a) I bought a book.
b) He worked in a supermarket.
c) We visited an art gallery.
d) They explained the homework.
e) Have you ('Sie') used a computer?
f) Have you ('du') closed the door?
g) I needed my mobile yesterday.
h) She lived in Paris.
i) The students tried to do the work.
j) I booked the hotel last week.

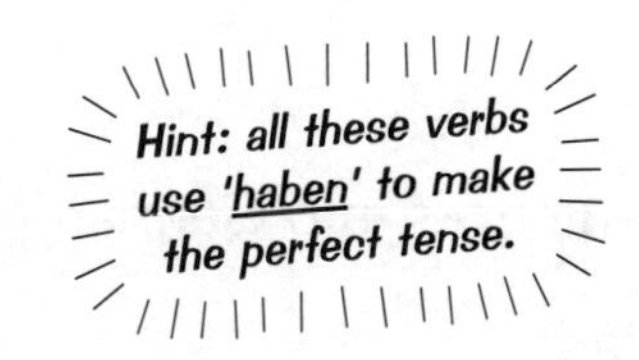

Hint: all these verbs use 'haben' to make the perfect tense.

Q3 Give the English infinitives and German past participles of the following verbs:

a) schlafen
b) essen
c) bringen
d) vergessen
e) nehmen
f) bekommen
g) verstehen
h) geben
i) brechen
j) sehen
k) trinken
l) singen

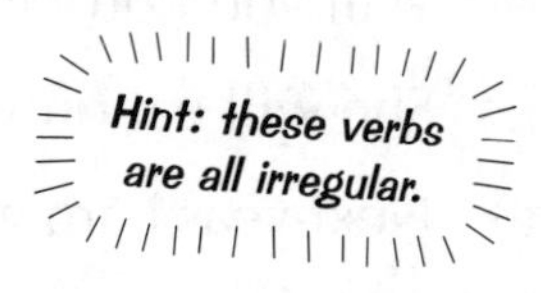

Hint: these verbs are all irregular.

Q4 Translate the following sentences into German using the perfect tense.

a) I have taken the pencil.
b) He ate a cake.
c) They slept until eleven o'clock.
d) We got the present.
e) Markus drank some lemonade.
f) Did you ('du') forget my birthday?
g) I saw the film last week.
h) Have you ('ihr') brought your exercise books?
i) We sang in the cathedral.
j) Julia has broken the lamp.

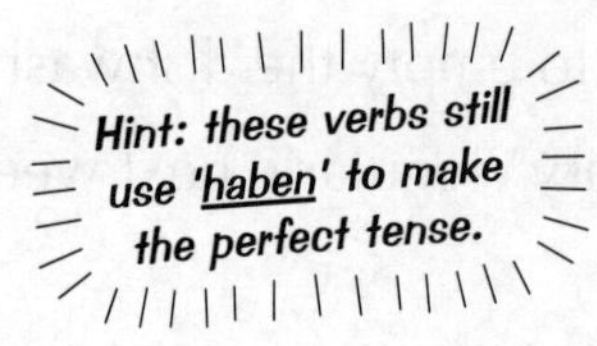

Hint: these verbs still use 'haben' to make the perfect tense.

Did you forget my birthday?

The Perfect Tense

Q1 Here are the past participles of some verbs which use 'sein' instead of haben. Write down the German infinitive for each and what the verb means in English.

e.g. gelaufen → laufen = to run

a) gefahren
b) abgefahren
c) gekommen
d) angekommen
e) geblieben
f) gewesen
g) passiert
h) gefolgt
i) gegangen
j) ausgegangen
k) geschehen
l) geflogen

Q2 Translate these sentences into German using the perfect tense.

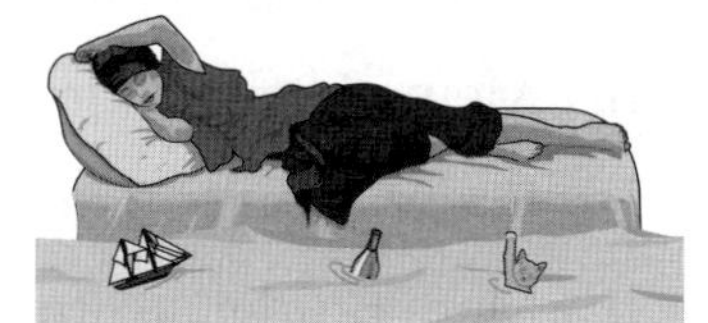

a) I went to London.
b) He went to school.
c) They went out.
d) What happened?
e) We arrived at 2 o'clock.
f) Anja stayed in bed.
g) Konrad and Oliver flew to Spain.
h) At what time did the train leave?
i) You ('du') came with me.

Q3 Translate these sentences into German using the perfect tense.

a) I made a big cake yesterday.
b) My brother ate the big cake on Monday.
c) He stayed in bed on Tuesday.
d) We understood the German film.
e) We did not sleep at all.
f) Last week, Bernd cleaned the windows.
g) He went to school in the mornings.
h) In the afternoons, he drank lots of cups of coffee.
i) I went to America last summer with my parents.
j) I arrived at the airport one hour later.
k) The plane flew very quickly.
l) Yesterday, it rained.
m) We changed trains* in Manchester. (*to change trains = umsteigen)
n) She didn't ask me anything.

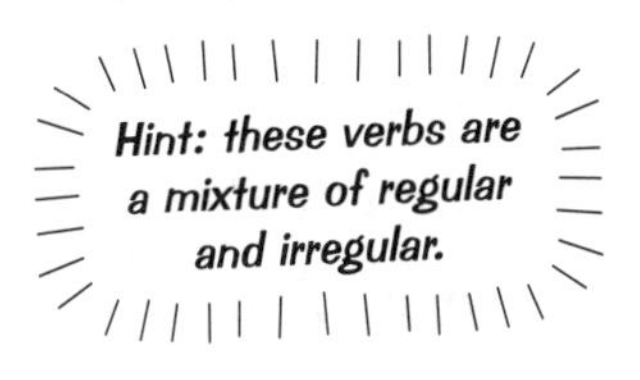

Hint: these verbs are a mixture of regular and irregular.

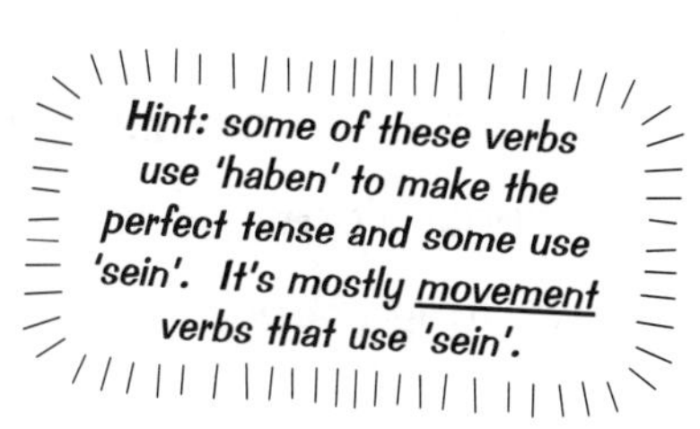

Hint: some of these verbs use 'haben' to make the perfect tense and some use 'sein'. It's mostly movement verbs that use 'sein'.

The Imperfect Tense

Q1 **Choose the correct part of the imperfect tense of 'sein' (see box) to complete these sentences.**

a) Ich .... sehr hungrig.
b) Rebecca .... zu Hause.
c) Fred .... elf Jahre alt.
d) Wir .... wirklich traurig, dass du nicht gekommen bist.
e) .... ihr fertig, als er angekommen ist?
f) .... du schon in Frankreich?
g) Wie .... das Wetter im Urlaub?
h) Meine Eltern .... immer ganz froh, als ich gute Noten bekam.
i) In der Schule .... ich hilfsbereit und freundlich.
j) Mein Bruder .... immer ein bisschen launisch.
k) Das Hotel .... modern, aber mein Zimmer .... zu klein.

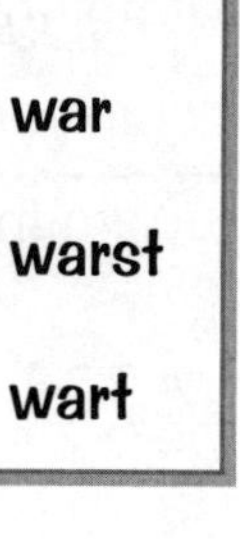

Q2 **Choose the correct form of the imperfect tense of 'haben' (see box) to complete the sentences.**

a) Meine Schwester .... ein neues Kleid zum Geburtstag.
b) Meine Freunde .... einen guten Urlaub.
c) Du .... ein kleines Zelt.
d) Wir .... einen großen Wohnwagen.
e) Ihr .... eine gestreifte Krawatte.
f) Ich .... einen roten Apfel.
g) Die Frau .... einen fantastischen Hut.
h) .... Sie Ihren eigenen Zauberstab?
i) Zum Geburtstag .... ich die neueste CD von meiner Lieblingsband.
j) In der Schule .... niemand ein weißes T-Shirt.
k) Der Obdachlose .... einen alten Regenschirm und einen schmutzigen Hut.
l) Als wir jung waren, ... wir viele doofe Computerspiele.

hatte
hatten
hattet
hattest

Q3 **Translate these sentences into English.**

a) Wir machten zu viel Lärm.
b) Mein Vater kaufte ein neues Haus.
c) Er ging ins Kino.
d) Ich trank ein Glas Wein.
e) Mein Vater putzte die Küche.
f) Ich stellte die Tasse auf den Tisch.
g) Meine Schwester brachte ihre Bücher mit.
h) Ich fuhr nach Liverpool.
i) Ich kam mit dem Zug.
j) Mein Großvater arbeitete als Klempner.
k) Thomas besuchte das Museum und aß ein Eis.
l) Es gab einen wunderschönen Dom.

The Imperfect Tense

Q1 Translate these sentences into German, using the imperfect tense.

a) I made a big cake.
b) I cleaned the dining room and the bathroom.
c) We ate pizza, chips and strawberry ice cream.
d) We drove to Birmingham and sang in the choir.
e) My mum worked as a firefighter.
f) He came on the bus.
g) My uncle drank a large cup of coffee and put the cup on the chair.
h) I bought bread, milk, tomatoes and cheese.
i) The pupils were all in the classroom but they made too much noise.
j) They had lots of money and they bought new clothes.

Q2 Give the correct form of the imperfect from these infinitives. They are all irregular.

e.g. singen (ich) → ich sang; singen (wir) → wir sangen

a) kommen (ich)
b) laufen (er)
c) helfen (ich)
d) sehen (du)
e) denken (sie = they)
f) nehmen (ihr)
g) geben (ich)
h) schreiben (er)
i) springen (wir)
j) werden (Sie)
k) trinken (du)
l) gehen (wir)
m) fahren (sie = she)
n) essen (ich)
o) bringen (ihr)
p) sein (ich)
q) haben (es)
r) singen (er)

Q3 Now translate these sentences into English.

Watch out for 'seit' and the imperfect, as it's like the pluperfect 'had been doing'.

a) Ich spielte Tennis seit drei Jahren.
b) Er besuchte seine Tante jeden Tag seit zwei Jahren.
c) Ich half meiner Mutter seit einem Jahr in ihrem Blumengeschäft.
d) Mein Stiefvater arbeitete seit zehn Jahren als Lehrer, bevor er Dolmetscher wurde.
e) Seit vierzehn Jahren fuhr ich jeden Morgen mit dem Bus in die Schule.

Q4 Translate the following sentences into German using the imperfect tense.

a) She had been working as a computer scientist for six years.
b) I had been driving into town every day for ten years.
c) We had been visiting the museum for five years.
d) I had been playing the guitar for a year.

The Pluperfect Tense

Q1 What do these mean? Translate the sentences into English.

a) Wir hatten kurz vorher einen neuen Fernseher gekauft.
b) George und Jenny hatten eine Pizza bestellt.
c) Wo hatten Sie Ihr Betriebspraktikum gemacht?
d) Meine Mutter war sehr früh abgefahren.
e) Hattest du schon Musik heruntergeladen?
f) Warst du schon mit dem ICE-Zug nach Köln gefahren?
g) Ich hatte einen langen Brief geschrieben, um ihm zu danken.
h) Ich war zu lange zu Hause geblieben.
i) Was für Fragen hattest du gestellt?

Q2 Choose the correct form of 'haben' or 'sein' to complete these pluperfect sentences.

Hint: you need the imperfect forms of 'haben' and 'sein'.

a) Ich .... ein Kilo Bananen gekauft. (**haben**)
b) Ich .... um elf Uhr nach Hause gegangen. (**sein**)
c) Du .... einen leckeren Schokoladenkuchen gemacht. (**haben**)
d) Er .... ein Geburtstagsgeschenk von seinen Klassenkameraden bekommen. (**haben**)
e) Wir .... in den Zug gestiegen und .... unsere Plätze gefunden. (**sein, haben**)
f) Ich .... meine Hausaufgaben nicht gemacht. (**haben**)
g) Nachdem ich mein Zimmer aufgeräumt .... , habe ich ein bisschen ferngesehen. (**haben**)
h) Obwohl ich stundenlang geschlafen .... , war ich noch immer müde. (**haben**)
i) Ich wusste nicht, was passiert .... . (**sein**)
j) Ich .... zu Fuß dahin gegangen, aber ich bin mit dem Bus zurückgekommen. (**sein**)

Q3 Translate these sentences into German.

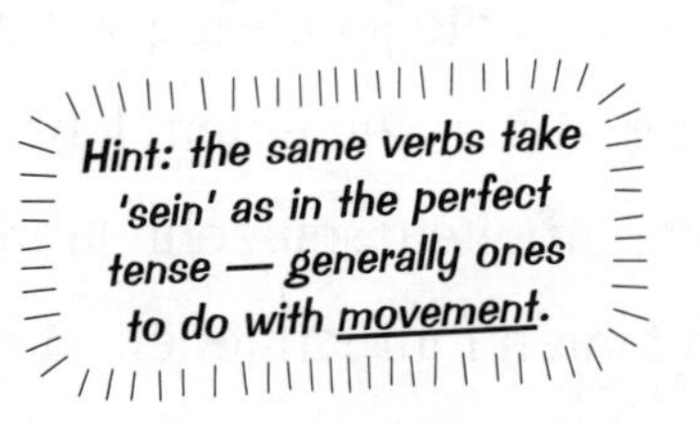

Hint: the same verbs take 'sein' as in the perfect tense — generally ones to do with movement.

a) I had bought a kilo of tomatoes.
b) He had made an excellent pizza.
c) We had driven to Birmingham.
d) You ('du') had stayed at home for hours.
e) They had found the hotel very comfortable, but quite expensive.
f) Maria had sung in the band, but had never played in a concert.
g) How many pubs had you ('Sie') visited?
h) I had not understood what had happened.
i) Anita and Bernd had drunk coffee together in the restaurant.

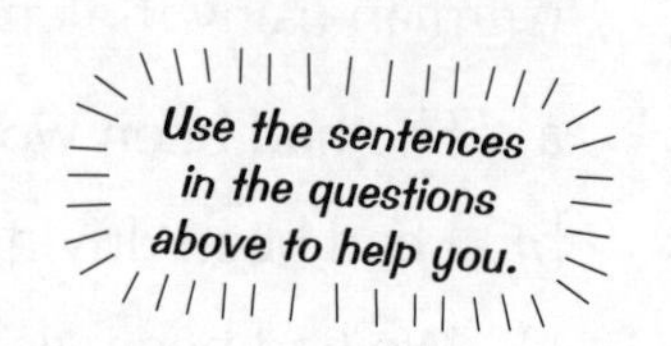

Use the sentences in the questions above to help you.

Imperatives

Q1 Change these sentences into imperatives.

e.g. Wir spielen oft Badminton. → Spielen wir oft Badminton!

a) Sie kaufen für mich ein großes Erdbeereis.
b) Du stellst das Buch hin.
c) Ihr geht in die Schule.
d) Wir essen zusammen.
e) Du machst deine Hausaufgaben.
f) Sie arbeiten im Garten.
g) Ihr nehmt einen Apfel.
h) Wir bringen unsere Schildkröte mit.
i) Sie helfen die Obdachlosen.
j) Du besuchst deine Großeltern.
k) Ihr glaubt mir.

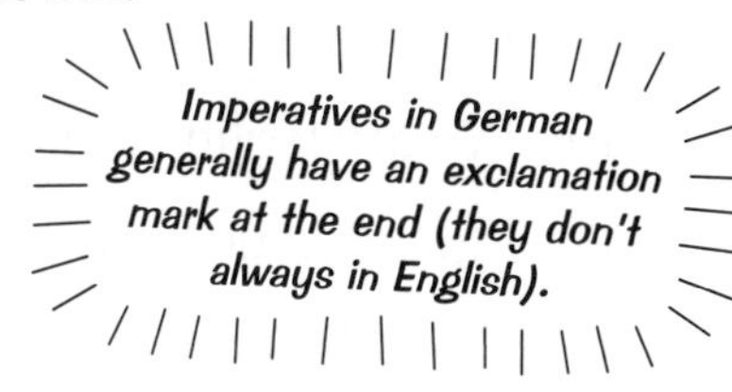

Imperatives in German generally have an exclamation mark at the end (they don't always in English).

Q2 Write the German sentences out again, filling in the missing verb. All the sentences are imperatives.

a) .... viel Wasser! **Drink lots of water.** (frml.)
b) .... diese Tabletten! **Take these tablets.** (inf. sing.)
c) .... nach Hause! **Let's go home.**
d) .... die Katze mit! **Bring the cat with you.** (inf. plu.)
e) .... Tennis mit mir! **Play tennis with me!** (inf. sing.)
f) .... sich bitte hin! **Sit down, please.** (frml.)
g) .... die Frau da drüben! **Ask the woman over there.** (frml.)
h) .... deinem Bruder! **Help your brother.** (inf. sing.)
i) .... ins Kino mit uns! **Come to the cinema with us!** (inf. plu.)
j) .... ins Bett! **Go to bed.** (inf. sing.)

inf. = informal
frml. = formal
sing. = singular
plu. = plural

Q3 Translate these sentences into German. Use the other questions for help.

a) Take the first road on the left. **(inf. plu.)**
b) Let's go to the cinema.
c) Bring your sister with you. **(inf. sing.)**
d) Give me your pen, please. **(frml.)**
e) Help your teachers. **(inf. plu.)**
f) Let's work in the kitchen.
g) Take lots of photos! **(inf. sing.)**
h) Eat lots of fruit. **(frml.)**
i) Make your beds! **(inf. plu.)**
j) Tidy your room please! **(frml.)**

Reflexive Verbs

Q1 Put these sentences into German.

a) I am interested in **(= sich interessieren für)** music.
b) You ('du') decided **(= sich entscheiden)** to read the book.
c) We are looking forward to **(= sich freuen auf)** the summer holidays.
d) She gets bored **(= sich langweilen)** very quickly.
e) I wash myself every morning.
f) Thomas always sunbathes on the beach.
g) Bernd and Maria sit down.
h) We are feeling a bit ill.
i) I get dressed very quickly.
j) We got changed and then ate our evening meal.
k) He excused himself and went out.

Q2 Translate these sentences into English.

a) Ich putze mir die Zähne dreimal am Tag.
b) Ich habe mich geduscht und dann gefrühstückt.
c) Ihr habt euch auf die falschen Plätze hingesetzt.
d) Wir haben uns eine modische Uniform gewünscht.
e) Du kämmst dir die Haare.
f) Du kannst dir vorstellen, was ich gesagt habe.
g) Sie ('they') fühlen sich sehr kalt.
h) Wir freuen uns auf deinen Besuch.
i) Er interessiert sich für Sport.
j) Du hast dir die Zähne heute Morgen nicht geputzt.
k) Sie ('you') wünschen sich eine Orange.

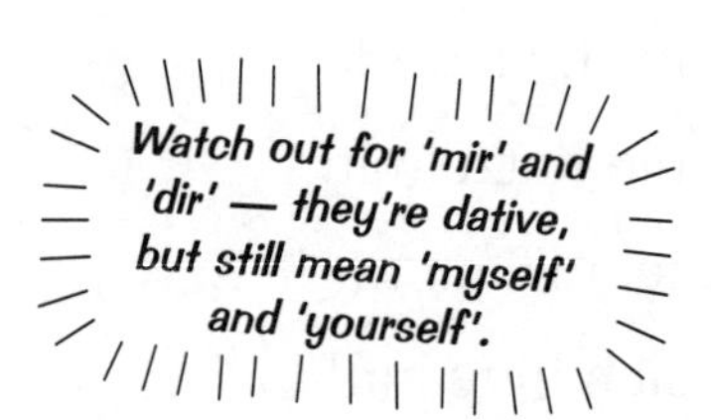

Watch out for 'mir' and 'dir' — they're dative, but still mean 'myself' and 'yourself'.

Q3 Translate this little lot into German.

a) He combs his hair twice a day.
b) I wish for a new dog.
c) They cleaned their teeth again.
d) You want no exams.
e) We felt bad.
f) She imagined a more beautiful house.
g) I comb my hair every morning before I wash myself.
h) I imagine my favourite singer.

Watch out for the ones that take the dative case.

Separable Verbs

Q1 Find the two bits of the verb in these sentences and put them back together as an infinitive — then give the English translation.

e.g. Der Zug kommt um neun Uhr an. → ankommen = to arrive

a) Der Bus fährt um fünf Uhr ab.

b) Meine Schwester nimmt ihre Blumen ins Restaurant mit.

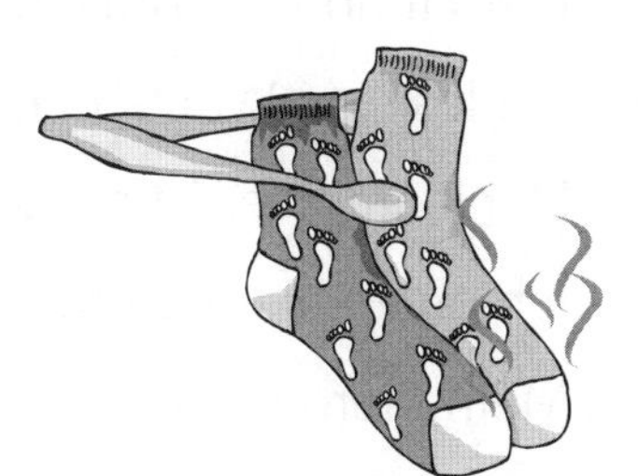

c) Die Lehrer sehen unsere Klassenarbeit nach.

d) Mein Bruder hat mir meine Socken zurückgegeben.

e) Wir sind gestern Vormittag ausgegangen.

f) Sie hört endlich auf, so laut zu schreien.

Q2 Write these sentences out again, filling in the missing verbs. They're all in the present tense.

a) Ich .... jeden Morgen .... . (**abwaschen**)

b) Normalerweise .... er abends .... . (**ausgehen**)

c) .... Sie bitte ihre Koffer .... ! (**mitnehmen**)

d) Am Montag .... meine Tante und mein Onkel .... . (**ankommen**)

e) Am Mittwoch .... ich Bernd seine Computerspiele .... . (**zurückgeben**)

f) Mary und Frank .... plötzlich .... , Rock-Lieder zu singen. (**anfangen**)

g) In meiner Freizeit .... ich sehr gern .... . (**fernsehen**)

h) Wann .... du .... , zu weinen? (**aufhören**)

Q3 Rewrite these sentences with the words in the correct order. There might be more than one possible answer.

Watch out, it's not just the present tense this time.

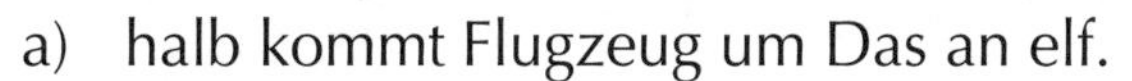

a) halb kommt Flugzeug um Das an elf.

b) hat Der aufgehört endlich Hund.

c) Nächste ich zurück Woche fahre.

d) weggehen er Morgen will.

e) ging Mein meiner mit aus Mutter Vater.

f) mitgenommen Computer hat seinen Er.

g) Dieb die Der zurück Untertasse stellte.

Q4 Translate these sentences into German.

a) He wants to stop.

b) They gave the book back. (**imperfect tense**)

c) If the dog goes out, the cat will be happy.

d) George will watch the television tomorrow.

e) My birthday present arrived on Friday. (**perfect tense**)

f) Do you ('du') want to take your trousers with you?

g) Did you ('ihr') go out last night? (**perfect tense**)

Negatives

Q1 Make these sentences negative by adding 'nicht'.

e.g. Meine Katze ist intelligent. → Meine Katze ist nicht intelligent.

a) Der Hund will trinken.
b) Ich lese am Wochenende.
c) Der Computer ist modern.
d) Ich putze mein Zimmer.
e) Mein Pferd ist klein.
f) Das Hotel ist in der Stadtmitte.
g) Ich schlafe viel.
h) Das Abendessen ist teuer.
i) Er fährt heute zurück.
j) Der Bahnhof ist weit von hier.

Q2 Translate these sentences into English.

a) Das Auto hat kein Radio.
b) Ich sehe nie fern.
c) Mein Bruder spielt nicht mehr Fußball.
d) Die Band hat nicht einmal gespielt, weil der Sänger krank war.
e) Ich habe noch nicht Sauerkraut gegessen.
f) Mein Freund ist weder dünn noch dick.
g) Nirgendwo in der Welt hatte Lisa so eine schöne Aussicht von ihrem Schlafzimmer gehabt.
h) Keine Kinder wollen ins Bett gehen.
i) Niemand ist zu meiner Party gekommen.
j) Am Wochenende ist meine Schwester in die Stadt gegangen, aber sie hat gar nichts gekauft.

Nice car, huh?
It's not got a radio.

Q3 Put these sentences into German.

a) My computer is not yet totally broken.
b) The library is never open at the weekends.
c) Nobody had visited the old town centre.
d) In the summer he went nowhere.
e) We have no flowers in our garden.
f) The rugby team didn't play.
g) After the exams I'm not going to school any more.
h) It didn't even rain at the weekend.
i) My Mum is neither moody nor impatient.
j) We saw nothing at all during the journey, because it was too foggy.

Use phrases from the other questions to help you.

Modal Verbs

Q1 Give the German for the following:

a) I want
b) you ('du') like
c) he may (is allowed to)
d) she must
e) you ('Sie') are supposed to
f) we can
g) I must
h) you ('ihr') like
i) we want to
j) they may (are allowed to)
k) I can
l) it's supposed to
m) I like

Q2 Translate these sentences into English.

a) Ich muss bald etwas essen.
b) Wir sollen nicht zu viel Fett oder Zucker essen.
c) Sie ('you') dürfen die Tür zumachen.
d) Oliver mag gern wandern.
e) Ich kann Gitarre spielen.
f) Darfst du mitkommen?
g) Ich mag nicht Grammatik lernen.
h) Soll man hier laufen?
i) Mark will nicht mit uns ins Restaurant kommen.
j) Sie muss sehr früh morgen aufstehen.
k) Können Sie mir bitte helfen?
l) Der Wellensittich will sprechen.

Soll man hier laufen?

Q3 Write out these sentences in German.

a) You ('du') must write the sentences* in German. (*sentences = die Sätze)
b) You ('du') can do that easily.
c) They may (are allowed to) go to the concert.
d) I am supposed to stay at home, but I want to go with them.
e) We are supposed to learn vocabulary.
f) They must be very clever.
g) You ('ihr') can speak Italian very well.
h) Ben may (is allowed to) eat chips only once a week.
i) Sylvia wants to be a teacher.

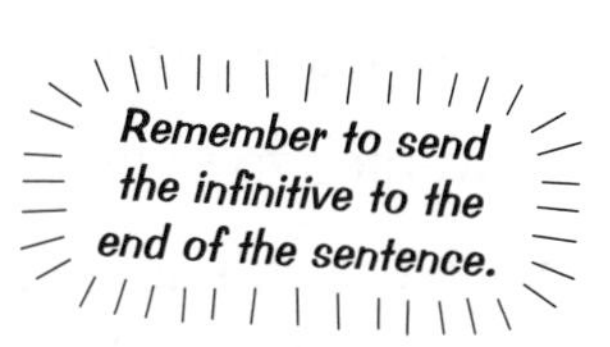
Remember to send the infinitive to the end of the sentence.

Modal Verbs

Q1 Choose the correct part of the verb in the imperfect tense for each person.

a) ich musste/mussten/musstet
b) du solltet/sollten/solltest
c) er konntet/konnte/konntest
d) wir durften/dürften/durftet
e) ihr mochte/mochtet/mochten
f) Sie wollten/wollte/wolltest
g) wir solltest/solltet/sollten
h) ich durfte/durften/durftest
i) sie (= she) mochte/mochtest/mochtet
j) du wollten/wolltest/wollte
k) sie (= they) müssten/musstest/mussten
l) wir konntest/konnten/könnten

Q2 Translate the following into English.

a) Ich wollte auf die Uni gehen.
b) Du solltest fleißig arbeiten.
c) Owen musste die Spülmaschine leeren.
d) Ich mochte Kaffee, aber jetzt trinke ich lieber Tee.
e) Warum durftest du so viele Süßigkeiten essen?
f) Ich konnte die Hausaufgaben nicht machen, weil der Hund sie gegessen hat.
g) Wollten Sie im Ausland wohnen, als Sie jung waren?
h) Ich sollte einen Brief schreiben, aber ich hatte keine Zeit.
i) Musstest du Latein lernen, als du in der Schule warst?
j) Er konnte nicht mitkommen, weil er krank war.
k) Mochten Sie das Konzert?
l) Ich durfte nicht am Wochenende ausgehen, weil ich Hausaufgaben hatte.

Q3 Translate these sentences into German.

Remember to send the infinitive to the end of the sentence.

a) Did you ('du') like the homework?
b) I wasn't allowed to drink alcohol when I was 15.
c) Did you ('Sie') have to empty the dishwasher?
d) I used to like to swim, but now I prefer playing badminton.
e) I had to learn Greek when I was five.
f) We wanted to write an e-mail, but we didn't have a computer.
g) They were able to go swimming lots on holiday, because the hotel had a fantastic indoor swimming pool.
h) Why were you ('du') not supposed to go out yesterday?
i) They were supposed to do their homework last night, but they watched TV.
j) Did you ('Sie') want to go to university when you were young?

The Conditional and Imperfect Subjunctive

Q1 Write these sentences out again, filling in the gaps with words from the box.

würdest	würden	würde	würdet

Hint: these are all in the conditional.

a) Ich .... viel Sport treiben, aber ich bin zu faul.
I would play a lot of sport, but I'm too lazy.

b) Du .... Musik hören, aber dein Mp3-Player funktioniert nicht mehr.
You would listen to music, but your MP3-player doesn't work any more.

c) Wir .... auf Urlaub dreimal im Jahr fahren, aber wir haben leider kein Geld dafür.
We would go on holiday three times a year, but unfortunately we don't have the money for it.

d) Ihr .... vielleicht bessere Noten bekommen, aber ihr habt keine Interesse für die Schule.

e) Chris .... am Wochenende Badminton spielen, aber es gibt keinen Klub hier in der Nähe.

f) Sie .... früher ankommen, aber sie können den Flug nicht buchen.

g) Ich .... eine E-mail schreiben, aber im Moment ist meine Internetverbindung kaputt.

h) Wir .... jeden Tag Pizza essen, aber wir wissen, dass es nicht so gesund ist.

Q2 Translate these sentences into English.

a) Möchtest du eine DVD heute Abend sehen?

b) Charlie möchte Journalist werden.

c) Ich könnte dich später anrufen, aber ich habe mein Handy zu Hause vergessen.

d) Deine Eltern könnten kostenlos mit uns im Auto nach Glasgow fahren.

e) Könnten Sie mir bitte etwas Zahnpasta geben?

f) Wir sollten mehr umweltfreundlich sein.

g) Du solltest mit öffentlichen Verkehrsmittel öfter fahren.

h) Wenn ich viel Geld hätte, würde ich nicht arbeiten müssen.

i) Wenn ich nicht so müde wäre, würde ich heute Abend joggen gehen.

j) Ich wäre glücklicher, wenn mein Bruder weniger launisch wäre.

Q3 Translate this lot into German.

a) We should travel by public transport.

b) I could clean my teeth, if I had some toothpaste.

c) Rob would like to play on the computer, but he hasn't done his homework yet.

d) You ('Sie') would walk more, but your leg is hurting.

e) If I were at home, I could eat some ice cream.

f) If I had lots of time, I would learn to waterski.

g) If we could go to the cinema tomorrow, it would be better.

h) I would like to go to sleep now.

Impersonal Verbs & Infinitive Constructions

Q1 **Write these sentences out again with the correct word order. There might be more than one possible answer.**

a) regnet Heute viel es.
b) London mir Es in gefällt.
c) schlecht Mir geht es.
d) warm ist sehr Mir.
e) dir Ist kalt? es zu
f) darf mitkommen tut , aber mir Es ich nicht Leid.
g) gibt in Es zu sehen Berlin viel.
h) tut Meine ich weh Hand sie bewege wenn.
i) geht Wie Ihnen? es
j) dir Moment es im gut? Geht

Q2 **Translate the sentences from Q1 into English.**

Q3 **Translate these sentences into English.**

a) Um gute Noten zu bekommen, muss ich alles hier im Buch lernen.
b) Ich gehe heute in die Stadt, um ein Geschenk für meine Deutschlehrerin zu kaufen.
c) Ich möchte auf die Universität gehen, um Medizin zu studieren.
d) Um die Umwelt zu retten, sollten wir weniger fossile Brennstoffe benutzen.
e) Um besser mit meiner Geschwister auszukommen, sollte ich sympathischer sein.
f) Ich kann nicht in den Supermarkt gehen, ohne eine Tafel Schokolade zu kaufen.
g) Ohne aktiv zu sein, kann man nicht abnehmen.
h) Ohne schwer zu studieren, wird man keine gute Arbeit finden.
i) Ich versuche, immer freundlich und sympathisch zu sein.
j) Ich habe mich entschieden, eine Stunde Hausaufgaben jeden Abend zu machen.
k) Wir beginnen, morgen Medienwissenschaften zu lernen.

Q4 **Put these sentences into German.**

a) In order to study medicine, I must get good marks.
b) I am going to the cinema today, in order to see the latest adventure film.
c) Without going to the supermarket, it is difficult to find a chocolate bar.
d) He decided to be dynamic and responsible.
e) The twins began to argue more often.
f) My grandfather tried ten times to phone.
g) In order to be more active, I do aerobics every day.

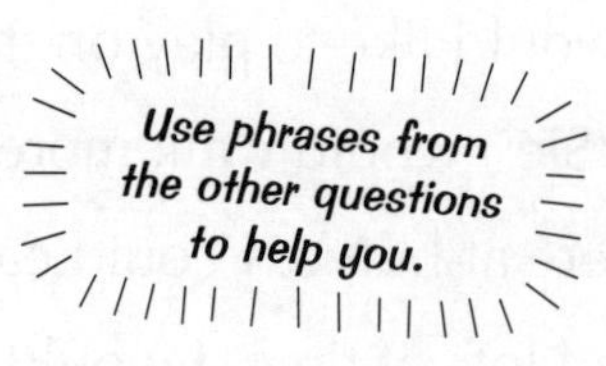

Use phrases from
the other questions
to help you.